HAMBURGUESAS

HAMBURGUESAS

UNA AVENTURA EXQUISITA Y VERTIGINOSA

Publicado por Parragon en 2012

Love Food es un sello editorial de Parragon Books Ltd

Parragon Books Ltd
Chartist House
15-17 Trim Street
Bath, BA1 1HA, U.K

www.parragon.com/lovefood

ISBN: 978-1-4454-9956-7

Impreso en China/Printed in China

Nuevas fotografías: Mike Cooper
Nuevo estilismo gastronómico: Lincoln Jefferson
Nuevas recetas e introducción: Tara Duggan
Cubierta y diseño interior: Lexi L'Esteve
Gestión del proyecto: Faye Lloyd
Traducción del inglés: Carme Franch Ribes para para Delivering iBooks, Barcelona
Redacción y maquetación: Delivering iBooks, Barcelona

Notas:
En este libro las medidas se dan en el sistema métrico. Cuando el nombre de algún ingrediente varía de una región del ámbito hispánico a otra, se ha procurado ofrecer las variantes. Las cucharadas indicadas en las medidas son rasas: Se considera que 1 cucharadita equivale a 5 ml y 1 cucharada, a 15 ml. Si no se da otra indicación, la leche será siempre entera, los huevos y las verduras u hortalizas, como las patatas, de tamaño medio, y la pimienta, negra y recién molida. Si no se da otra indicación, lave y pele las hortalizas de raíz antes de añadirlas a las recetas.

Las guarniciones y sugerencias de presentación son opcionales y no siempre se incluyen en la lista de ingredientes o la preparación. Los tiempos indicados son orientativos. Los tiempos de preparación pueden variar de una persona a otra según su técnica culinaria; asimismo, también pueden variar los tiempos de cocción. Los ingredientes opcionales, las variaciones y las sugerencias de presentación no se han incluido en los cálculos.

Las recetas que llevan huevo crudo o poco hecho no están indicadas para niños, ancianos, mujeres embarazadas ni personas convalecientes o enfermas. Se recomienda a las mujeres embarazadas o lactantes que no consuman cacahuetes ni productos derivados. Las personas alérgicas a los frutos secos deberán omitirlos en algunas recetas. Compruebe siempre el envase de los productos antes de consumirlos.

Créditos fotográficos:
Hamburguesa con queso © Judy Unger/Getty Images (cubierta)
Hamburguesas crudas con pimienta recién molida © Linda Lewis/Getty Images (página 9)
Ingredientes de las hamburguesas © Leigh Beisch/Getty Images (página 9)

ÍNDICE

HISTORIA DE LA HAMBURGUESA

Como era de esperar, más de uno se atribuye el mérito de haber inventado la hamburguesa. Aunque los pastelitos de carne picada se conocen desde hace siglos, el término «hamburguesa» surgió en Estados Unidos a principios del siglo XIX, al parecer cuando los inmigrantes alemanes empezaron a pedirlas en los restaurantes. Sea como fuere, la polémica gira en torno a quién las sirvió primero entre dos rebanadas de pan.

Según una versión, en 1885, con ocasión de una feria celebrada en Seymour (Wisconsin), Charles Nagreen sirvió las hamburguesas entre dos trozos de pan para comerlas cómodamente. Otra teoría sitúa el origen en 1892, en otra feria de Akron (Ohio), donde Frank Mensches se quedó sin salchichas y decidió picar carne de buey para preparar bocadillos. La tercera versión apunta a que la inventó Louis Lassen en su pequeño restaurante de New Haven (Connecticut) en la misma época.

Las hamburguesas se dieron a conocer en el resto de Estados Unidos en la primera mitad del siglo XX, sobre todo a través de las cadenas de restaurantes del sur de California, y desde entonces son un símbolo de la dieta estadounidense. A día de hoy se encuentran en todo el mundo, como en Australia, donde se toman con remolacha encurtida y a veces incluso con un huevo frito y piña (véase la página 126). En Corea se sirve con kimchi, un tipo de col fermentada picante (véase la página 140), y en Japón los panecillos están hechos de arroz compactado (véase la página 138).

Actualmente hay versiones de la hamburguesa tradicional elaboradas con aves, pescado y hortalizas, e incluso figuran en las cartas de los chefs de alta cocina, que las rellenan de foie y trufa o sencillamente las preparan con carne de primera calidad y las sirven con condimentos caseros. Hoy en día existen variaciones del símbolo gastronómico de Estados Unidos en casi todos los rincones del planeta.

UTENSILIOS

Fiel a sus orígenes humildes, para preparar una hamburguesa se necesita poco más que un cuchillo afilado para cortar los tomates en rodajas y una sartén, una plancha o una barbacoa para asarla. A continuación se enumeran los utensilios básicos.

· Boles para mezclar

· Espátula para dar la vuelta a las hamburguesas

· Cuchillos para cortar tomates (los de sierra van bien), lechuga y otros ingredientes

· Batidor de varillas para preparar salsas, como mayonesa

· Plancha estriada o sartén. Elija un modelo pesado para que difunda mejor el calor y las hamburguesas queden bien selladas.

· Fuente y rejilla para gratinar

· Barbacoa de gas o carbón

· Picadora de carne o robot de cocina (opcional) para preparar las Hamburguesas con salsa rosa (véase la página 92) con carne recién picada.

KA-POW!

CÓMO PREPARAR LA HAMBURGUESA PERFECTA

Es muy fácil preparar hamburguesas, y el único secreto, además de no asarlas en exceso, es darles la forma adecuada. Lo primero que hay que evitar es trabajar demasiado la carne para que no quede dura en lugar de tierna y jugosa.

La carne de vacuno recién picada es la mejor porque es lo bastante seca y adherente para quedar bien compacta. El pavo, el pollo y el cerdo suelen contener más agua y, por tanto, son más difíciles de manipular, aunque siempre pueden mezclarse con un poco de pan rallado para facilitar la tarea. Si se humedece las manos también le resultará más fácil. Lo mismo sucede con las hamburguesas vegetarianas, que acostumbran a quedar blandas y poco manejables.

Para preparar las hamburguesas, ponga la carne en un bol e incorpore todos los condimentos a la vez —mejor si lo hace con las manos— solo hasta que queden bien mezclados con la carne.

Repártala en porciones iguales y deles forma aplanada. Si es posible, hágalas un poco más anchas que los panecillos, ya que se encogerán durante la cocción. Por la misma razón, también es mejor hacer el borde un poco más grueso que la parte central, o bien hacer un hueco en el centro para que, cuando la carne se contraiga, la hamburguesa adquiera un grosor uniforme.

CÓMO ASAR LA HAMBURGUESA PERFECTA

Los métodos de cocción con fuego fuerte son los más adecuados para que las hamburguesas se doren por fuera y queden jugosas por dentro.

A la plancha o a la sartén
Este es el método tradicional, que consiste en calentar una plancha estriada o una sartén y añadirle un poco de grasa. Las hamburguesas se hacen a fuego medio-fuerte hasta que estén doradas y crujientes por fuera.

Al vapor
El vapor hace que las hamburguesas asadas queden aún más jugosas. Basta cubrir la plancha o la sartén con una tapadera al final de la cocción.

A la barbacoa
Las barbacoas de carbón enriquecen las hamburguesas con un sabor ahumado, pero las de gas son más prácticas. Para comprobar la temperatura de la barbacoa, coloque la mano a unos 2,5 cm por encima de la parrilla. El tiempo que aguante sin retirarla le indicará si el fuego está:

fuerte: unos 3 segundos
medio-fuerte: unos 5 segundos
medio: unos 7 segundos

Ahumadas
Para que las hamburguesas adquieran un sabor ahumado, áselas con unas astillas envueltas en papel de aluminio en una barbacoa cubierta (véase la página 94). El tipo de madera elegido influirá en el sabor. Para ahumar es necesario que la barbacoa esté equipada con una tapadera.

Gratinadas
El gratinador es muy práctico y limpio para asar las hamburguesas de pescado, pollo o vegetarianas, que suelen pegarse a la plancha. También es una buena alternativa cuando el tiempo no acompaña.

TRUCOS Y CONSEJOS

Elija un corte con la proporción de grasa adecuada. Las hamburguesas se hacen a fuego fuerte, por lo que si son muy magras podrían quedar secas. Si son de vacuno, escoja un corte como la aguja con una proporción de grasa del 18-22% y, si son de pavo o pollo, con los muslos obtendrá un sabor y una textura insuperables.

PUEDE PICAR CUALQUIER TIPO DE CARNE EN CASA. LAS HAMBURGUESAS CON SALSA ROSA (VÉASE LA PÁGINA 92) PUEDEN PREPARARSE CON POLLO, CORDERO O PAVO ADEMÁS DE BUEY. PARA PICAR LA CARNE, CÓRTELA EN DADOS DE 2,5 CM Y REFRIGÉRELA PARA QUE NO QUEDE DESHECHA (SOBRE TODO EN EL CASO DE LAS AVES).

NO MANIPULE EN EXCESO LA CARNE. SI LAS HAMBURGUESAS QUEDARAN ALGO DURAS, ES PROBABLE QUE LAS HAYA MANIPULADO DEMASIADO AL DARLES FORMA.

Si le gustan las hamburguesas hechas, añádales queso rallado u hortalizas bien picadas para que no queden resecas. Hay incluso quien les añade hielo picado, unos 2 cubitos por 450 g de carne (lógicamente, en este caso hay que asarlas enseguida).

ELIJA BIEN LOS PANECILLOS. LOS ENTENDIDOS PREFIEREN LOS PANECILLOS O REBANADAS DE PAN BLANDOS QUE SE FUNDEN CON LA HAMBURGUESA. SI LOS CALIENTA, NO DEJE QUE SE SEQUEN Y SE TUESTEN DEMASIADO, CON ALGUNAS EXCEPCIONES COMO LOS SÁNDWICHES DE HAMBURGUESA (VÉASE LA PÁGINA 56).

Precalentar. Tanto si las asa en la sartén, el gratinador o la barbacoa, compruebe que esté caliente. De esta forma evitará que se peguen y se dorarán mejor.

No juegue con las hamburguesas. Hay quien no solo las voltea una y otra vez, sino que además no puede evitar presionarlas con la espátula. De esta forma lo único que se consigue es que queden duras.

Si la hamburguesa no se mezcla bien —algo que suele suceder con las de ave, pescado u hortalizas—, añada un poco de pan rallado. Refrigere las hamburguesas 15 minutos para que queden bien compactadas.

EN ALGUNAS RECETAS SE PIDE TAPAR LA BARBACOA. EN ESTOS CASOS ES MEJOR UTILIZAR UNA BARBACOA CON TAPADERA INCORPORADA, QUE PERMITE QUE EL INTENSO SABOR A HUMO PENETRE EN LOS ALIMENTOS Y GARANTIZA UNA COCCIÓN MÁS UNIFORME. ADEMÁS, SON LA MEJOR OPCIÓN PARA PREPARAR LAS HAMBURGUESAS DE CERDO A LA BARBACOA (VÉASE LA PÁGINA 66) Y LAS HAMBURGUESAS AHUMADAS (VÉASE LA PÁGINA 94).

CAPÍTULO 1
TRADICIONALES

HAMBURGUESAS DE BUEY

PREP.: 15 min + refrigeración

COCCIÓN: 20 min

NINGUNA BARBACOA SERÍA LO MISMO SIN LAS HAMBURGUESAS DE TODA LA VIDA CON CEBOLLA, AJO Y MOSTAZA, PERO SI LO PREFIERE PUEDE CEÑIRSE A LA RECETA ORIGINAL DE BUEY, SAL Y PIMIENTA.

PARA 4-6 UNIDADES

450 g de aguja de buey (vaca) recién picada

1 cebolla rallada

2-4 dientes de ajo majados

2 cucharaditas de mostaza a la antigua

2 cucharadas de aceite de girasol

pimienta

4-6 panecillos para hamburguesa abiertos

Kétchup (véase la página 170)

Patatas (papas) fritas, para acompañar (véase la página 206)

CEBOLLA FRITA

2 cucharadas de aceite de oliva

4 cebollas en rodajas finas

2 cucharaditas de azúcar moreno

1. Precaliente la plancha. Ponga el buey picado, la cebolla, el ajo, la mostaza y la pimienta en un bol grande y mézclelo bien, estrujando la carne con la mano. Forme entre 4 y 6 hamburguesas iguales, tápelas y refrigérelas 30 minutos.

2. Mientras tanto, prepare los aros de cebolla. Caliente el aceite en una sartén de base gruesa y saltee la cebolla a fuego lento hasta que se ablande. Eche el azúcar y prosiga con la cocción 8 minutos más, removiendo de vez en cuando, o hasta que la cebolla se caramelice. Déjela escurrir sobre papel de cocina y resérvela caliente.

3. Antes de asar las hamburguesas, compruebe que han ganado consistencia y píntelas con aceite abundante. Áselas en la plancha precalentada unos 5 minutos por cada lado, o hasta que alcancen el punto deseado. Coloque los panecillos en la plancha precalentada, con la parte cortada hacia abajo, y tuéstelos un poco. Rellene los panecillos con las hamburguesas y los aros de cebolla. Sírvalas enseguida con kétchup y patatas fritas.

HAMBURGUESAS CON QUESO

PREP.: 10 min   COCCIÓN: 12 min

PARA 4 UNIDADES

750 g de buey (vaca) recién picado

1 pastilla de caldo de carne

1 cucharada de cebolla seca molida

2 cucharadas de agua

1-2 cucharadas de aceite de girasol

55 g de cheddar rallado

hojas de lechuga

4 panecillos para hamburguesa abiertos

rodajas de tomate (jitomate)

Patatas fritas, para acompañar (véase la página 206)

1. Ponga el buey picado en un bol grande. Desmenuce la pastilla de caldo por encima, añada la cebolla y el agua y mézclelo bien. Divídalo en 4 porciones iguales, deles forma de bola y, después, aplánelas un poco para obtener hamburguesas del grosor deseado.

2. Precaliente una plancha estriada o una sartén a fuego medio-alto. Pinte las hamburguesas con un poco de aceite y áselas 5 o 6 minutos. Deles la vuelta, esparza el cheddar sobre la parte asada y prosiga con la cocción 5 o 6 minutos más, o hasta que alcancen el punto deseado.

3. Reparta la lechuga entre la base de los panecillos y coloque las hamburguesas encima. Añada un par de rodajas de tomate y la parte superior de los panecillos. Sírvalas enseguida con patatas fritas.

PASO 1

PASO 2

PASO 3

Para darle un toque picante a la hamburguesa, úntela con una buena cucharada de mostaza antes de añadir el cheddar.

17

HAMBURGUESAS DE TOFU

PREP.: 15 min
+ maceración

COCCIÓN: 6 min

CON UN PAQUETE DE TOFU DE 280 G OBTENDRÁ UNAS TRES HAMBURGUESAS, PERO SI LO PREFIERE PUEDE DOBLAR FÁCILMENTE LA CANTIDAD DE LOS INGREDIENTES.

PARA 3 UNIDADES

280 g de tofu consistente

2 cucharadas de salsa de soja

1/2 cucharadita de salsa Worcestershire

1 diente de ajo majado

1/4 de cucharadita de pimienta roja machacada

8 ramitas de cilantro troceadas

50 ml de mayonesa

rodajas de cebolla roja

hojas de lechuga

3-6 panecillos para hamburguesa abiertos

1. Precaliente el gratinador a la temperatura máxima y coloque la rejilla a unos 15 cm del fuego. Forre la bandeja del gratinador con papel de aluminio.

2. Escurra el tofu y séquelo. Córtelo en trozos rectangulares de 1 cm de grosor y un tamaño similar al de los panecillos y déjelos escurrir sobre papel de cocina.

3. Mezcle la salsa de soja con la salsa Worcestershire, la mitad del ajo y la pimienta roja en una fuente llana lo bastante ancha para que el tofu quepa en una sola capa. Eche el tofu y dele la vuelta para que se impregne bien. Déjelo macerar en el frigorífico entre 15 minutos y 3 horas.

4. Triture el cilantro y el ajo restante en un robot de cocina pequeño o la batidora. Añada la mayonesa y mézclelo hasta que esté homogéneo.

5. Disponga el tofu macerado en la bandeja del gratinador. Gratínelo 3 minutos por cada lado, o hasta que se dore.

6. Unte las dos mitades de los panecillos con la mayonesa condimentada y reparta el tofu entre las bases. Añada unas rodajas de cebolla y unas hojas de lechuga, tápelo con la parte superior de los panecillos, pártalos por la mitad y sírvalos enseguida.

19

HAMBURGUESAS CON BEICON

PREP.: 15 min

COCCIÓN: menos de 20 min

ESTA COMBINACIÓN INSUPERABLE DE BUEY, BEICON Y QUESO ES TODO UN CLÁSICO.

PARA 4 UNIDADES

6 lonchas de beicon (panceta)

450 g de buey (vaca) recién picado

4 lonchas de queso

4-6 panecillos para hamburguesa abiertos

2 cucharadas de mayonesa

hojas de lechuga

rodajas de tomate (jitomate)

sal y pimienta

1. Precaliente la plancha a temperatura media-alta. Ase el beicon en una sartén a fuego medio unos 8 minutos, o hasta que esté crujiente. Déjelo escurrir sobre papel de cocina y parta las lonchas por la mitad.

2. Ponga el buey picado en un bol y salpiméntelo. Divídalo en 4 porciones iguales y deles forma de hamburguesa.

3. Ase las hamburguesas en la plancha precalentada, tapadas, 4 minutos. Deles la vuelta, ponga una loncha de queso sobre cada una, tápelas de nuevo y prosiga con la cocción 4 minutos más, o hasta que alcancen el punto deseado y el queso se haya derretido.

4. Unte las dos mitades de los panecillos con la mayonesa y reparta las hamburguesas con queso entre las bases. Añada el beicon, la lechuga y el tomate y tápelo con la parte superior de los panecillos. Sírvalo enseguida.

Si le gustan las hamburguesas con un toque picante,
condiméntelas con Kétchup
al chipotle (véase la página
180).

HAMBURGUESAS DE PAVO

PREP.: *10 min*   **COCCIÓN:** *5 min*

BAJAS EN GRASA PERO MUY SABROSAS, LAS
HAMBURGUESAS DE PAVO SON UNA DELICIOSA ALTERNATIVA
A LAS DE BUEY Y GUSTARÁN A TODA LA FAMILIA.

PARA 4 UNIDADES

350 g de pavo recién picado

¼ de taza de pan integral recién rallado

1 cebolla pequeña picada

1 manzana pelada, sin corazón y picada

la ralladura y el zumo (jugo) de 1 limón pequeño

2 cucharadas de perejil picado

aceite de girasol, para pintar

sal y pimienta

4 panecillos integrales o porciones de focaccia abiertos

1. Precaliente el gratinador a temperatura media-alta y forre la bandeja con papel de aluminio. Ponga en un bol grande el pavo picado, el pan rallado, la cebolla, la manzana, la ralladura y el zumo de limón y el perejil. Salpimiente y mézclelo con suavidad. Divídalo en 4 porciones iguales y deles forma de hamburguesa.

2. Pinte las hamburguesas con aceite y póngalas en la rejilla del gratinador. Gratínelas, dándoles la vuelta una vez, 5 minutos o hasta que estén hechas. Para comprobar la cocción, pínchelas con la punta de un cuchillo afilado; si sale un líquido claro significa que están listas. Si, por el contrario, el líquido es rosado, gratínelas un par de minutos más.

3. Reparta las hamburguesas entre la base de los panecillos, tápelas con la otra mitad y sírvalas enseguida.

PASO 2

PASO 1

ESTAS HAMBURGUESAS SON MENOS CONSISTENTES QUE LAS DE BUEY, POR LO QUE DEBERÁ MANEJARLAS CON CUIDADO AL PONERLAS EN LA FUENTE Y DARLES LA VUELTA.

HAMBURGUESAS DE POLLO

PREP.: 15-20 min + refrigeración

COCCIÓN: 15-20 min

PARA 4 UNIDADES

4 pechugas grandes de pollo sin hueso ni piel

la clara de 1 huevo grande

1 cucharada de maicena

1 cucharada de harina

1 huevo batido

55 g de pan recién rallado

2 cucharadas de aceite de girasol

rodajas de tomate (jitomate)

4-6 panecillos para hamburguesa abiertos

lechuga en juliana

mayonesa

Patatas (papas) fritas, para acompañar (véase la página 206)

1. Ponga las pechugas de pollo entre dos hojas de papel vegetal y aplástelas un poco con la maza o el rodillo de cocina. Bata la clara de huevo con la maicena y, después, pinte las pechugas con la pasta. Tápelas y refrigérelas 30 minutos. Rebócelas con la harina.

2. Ponga el huevo batido y el pan rallado en sendos platos y pase las hamburguesas primero por el huevo y, luego, por el pan rallado.

3. Caliente una sartén de base gruesa y eche el aceite. Cuando se haya calentado, fría las pechugas a fuego medio de 6 a 8 minutos por cada lado, o hasta que estén bien hechas. Ponga las rodajas de tomate en la sartén y déjelas un par de minutos antes de finalizar la cocción.

4. Reparta las pechugas entre la base de los panecillos y añada unas rodajas de tomate, la lechuga en juliana y una cucharada de mayonesa. Sírvalas enseguida con patatas fritas.

Todo un clásico para los amantes del pollo y las hamburguesas, así como para las personas que cuidan su alimentación puesto que contienen menos grasa que las de buey.

25

HAMBURGUESAS VEGETARIANAS

PREP.: 10 min + refrigeración

COCCIÓN: 35 min

PARA 4-6 UNIDADES

- 85 g de arroz integral
- 450 g de alubias blancas (chícharos blancos) cocidas
- 115 g de anacardos sin sal
- 3 dientes de ajo
- 1 cebolla roja en gajos
- 115 g de maíz (elote) en conserva
- 2 cucharadas de concentrado de tomate (jitomate)
- 1 cucharada de orégano fresco picado
- 2 cucharadas de harina integral
- 2 cucharadas de aceite de girasol
- sal y pimienta
- lechuga en juliana
- 4-6 panecillos para hamburguesa integrales abiertos
- rodajas de tomate (jitomate)
- lonchas de queso

1. Cueza el arroz en un cazo de agua hirviendo con un poco de sal 20 minutos, o según las indicaciones del envase, hasta que esté tierno. Escúrralo y tritúrelo en el robot de cocina o la batidora.

2. Añada las alubias, los anacardos, el ajo, la cebolla, el maíz, el concentrado de tomate, el orégano, sal y pimienta y tritúrelo todo junto en intervalos breves. Forme entre 4 y 6 hamburguesas iguales y rebócelas con la harina. Tápelas y refrigérelas 1 hora.

3. Precaliente la barbacoa. Unte las hamburguesas con el aceite y áselas a la brasa 5 o 6 minutos por cada lado, o hasta que estén hechas.

4. Reparta la lechuga entre la base de los panecillos y coloque las hamburguesas encima. Añada un par de rodajas de tomate y una loncha de queso en cada una. Gratínelas bajo el gratinador precalentado, o póngalas en la plancha y tápelas, 2 minutos o hasta que el queso empiece a derretirse. Coloque la parte superior de los panecillos y sírvalas enseguida.

CON ESTA MAGNÍFICA HAMBUR-
GUESA RICA EN SABOR, TEXTURA
E INGREDIENTES SALUDABLES NO
SOLO DISFRUTARÁN LOS
VEGETARIANOS. SI LO PREFIERE,
SUSTITUYA LAS ALUBIAS BLANCAS

HAMBURGUESAS CON ENSALADA DE COL

PREP.: 15 min

COCCIÓN: menos de 10 min

ADEMÁS DE LOS CONDIMENTOS HABITUALES, ESTA HAMBURGUESA LLEVA GUINDILLA Y ENSALADA DE COL.

PARA 4 UNIDADES

450 g de buey (vaca) recién picado

1 cucharadita de sal

1/2 cucharadita de pimienta

aceite vegetal, para asar

lonchas de queso

4 panecillos tiernos para hamburguesa abiertos

mostaza, para untar

Jalapeños encurtidos (véase la página 198)

Ensalada de col (véase la página 176)

rodajas de tomate (jitomate)

1. Ponga el buey picado en un bol mediano con la sal y la pimienta y mézclelo con suavidad. Divídalo en 4 porciones iguales y deles forma de hamburguesa.

2. Caliente la sartén o la plancha a fuego medio-alto y eche aceite suficiente para cubrir la base. Ponga las hamburguesas, tápelas a medias y áselas unos 4 minutos, sin tocarlas, hasta que se doren y se desprendan fácilmente de la sartén. Deles la vuelta, ponga una loncha de queso sobre cada una, tápelas a medias de nuevo y áselas otros 3 minutos, o hasta que alcancen el punto deseado.

3. Unte las dos mitades de los panecillos con mostaza y esparza unas rodajas de jalapeños encurtidos por las bases. Disponga las hamburguesas, un poco de ensalada de col y una rodaja de tomate y sírvalas enseguida.

Esta hamburguesa se presta a la variedad de ingredientes que desee. Para darle un toque diferente, pruébela con un poco de Mostaza al chipotle (véase la página 180).

HAMBURGUESAS DOBLES

PREP.: 20 min

COCCIÓN: menos de 10 min

ESTA CONTUNDENTE HAMBURGUESA HABITUAL EN LOS
ESTABLECIMIENTOS DE COMIDA RÁPIDA SATISFARÁ
LOS APETITOS MÁS VORACES.

PARA 4 UNIDADES

900 g de buey (vaca) recién picado

2 cucharaditas de sal

1/2 cucharadita de pimienta

aceite vegetal, para asar

4 lonchas de queso

4 panecillos tiernos para hamburguesa abiertos

hojas de lechuga

rodajas de tomate (jitomate)

rodajas de cebolla roja

pepinillos partidos por la mitad a lo largo

1. Ponga el buey picado en un bol mediano con la sal y la pimienta y mézclelo con suavidad. Divídalo en 8 porciones iguales y deles forma de hamburguesa de 1 cm de grosor; cuanto más finas queden, mejor.

2. Precaliente una plancha estriada o una sartén a fuego medio-alto. Vierta aceite suficiente para cubrir la base. Ase las hamburguesas unos 4 minutos, sin tocarlas, hasta que se doren y se desprendan fácilmente de la plancha. Deles la vuelta y áselas 2 minutos por el otro lado. Ponga una loncha de queso sobre cada una y déjelas al fuego un par de minutos más, o hasta que alcancen el punto deseado.

3. Reparta las hamburguesas de dos en dos entre la base de los panecillos. Añada la lechuga, el tomate, la cebolla y los pepinillos y sírvalas enseguida.

HAMBURGUESAS CON QUESO AZUL Y CEBOLLA

PREP.: 15 min **COCCIÓN: menos de 10 min**

EL QUESO AZUL DERRETIDO Y LAS RODAJAS DE CEBOLLA ROJA APORTAN UN TOQUE ORIGINAL.

PARA 4 UNIDADES

450 g de buey (vaca) recién picado

1 cucharadita de sal

$\frac{1}{2}$ cucharadita de pimienta

aceite vegetal, para pintar

4-6 panecillos para hamburguesa abiertos

55 g de queso azul desmenuzado

hojas de lechuga

rodajas de cebolla roja

1. Precaliente el gratinador a la temperatura máxima. Coloque la rejilla de 5 a 8 cm del fuego.

2. Ponga el buey picado en un bol mediano con la sal y la pimienta y mézclelo con suavidad. Divídalo en 4 porciones iguales y deles forma de hamburguesa.

3. Pinte las hamburguesas con aceite, póngalas en la rejilla y gratínelas unos 4 minutos por cada lado, o hasta que alcancen el punto deseado.

4. Reparta las hamburguesas entre la base de los panecillos. Añada el queso desmenuzado, presionándolo un poco para que mantenga la forma. Termine de montar las hamburguesas con las hojas de lechuga y las rodajas de cebolla y sírvalas enseguida.

PASO 2

PASO 3

PASO 4

EL QUESO AZUL TIENE UN ASPECTO Y UN OLOR CARACTERÍSTICOS, AUNQUE LA INTENSIDAD DEL SABOR DEPENDE DE LA VARIEDAD.

HAMBURGUESAS CON CHAMPIÑONES

PREP.: 30 min   COCCIÓN: 15 min

La combinación de la hamburguesa de buey con los champiñones y el queso es insuperable.

PARA 4 UNIDADES

2 cucharaditas de aceite de oliva, y un poco más para pintar

1/2 cebolla en rodajas finas

115 g de champiñones en láminas

450 g de buey (vaca) recién picado

1 cucharadita de sal

1/2 cucharadita de pimienta

4 lonchas de queso

4 panecillos para hamburguesa con semillas de amapola abiertos

hojas de lechuga

rodajas de tomate (jitomate)

sal y pimienta

1. Caliente el aceite a fuego medio-alto en una sartén mediana. Rehogue la cebolla 3 minutos, removiendo, hasta que se ablande. Añada los champiñones y salpimiente. Rehóguelo todo un par de minutos más y remueva. Prosiga con la cocción hasta que los champiñones estén hechos.

2. Ponga el buey picado en un bol, añada 1 cucharadita de sal y 1/2 cucharadita de pimienta y mézclelo con suavidad. Divídalo en 4 porciones iguales y deles forma de hamburguesa.

3. Precaliente una plancha estriada o una sartén a fuego medio-alto y píntela con aceite. Eche las hamburguesas y tápelas. Áselas unos 4 minutos o hasta que se doren, deles la vuelta y áselas 2 minutos por el otro lado. Ponga una loncha de queso sobre cada una y áselas otros 2 minutos, o hasta que alcancen el punto deseado.

4. Ponga la lechuga y el tomate en la base de los panecillos. Añada las hamburguesas y los champiñones rehogados. Sírvalas enseguida.

REHOGUE LOS CHAMPIÑONES EN UNA SARTÉN LO BASTANTE GRANDE COMO PARA QUE SE FRÍAN BIEN Y QUEDEN DORADOS Y NO COCIDOS.

HAMBURGUESAS PICANTES

PREP.: 15 min

COCCIÓN: menos de 10 min

ESTA ORIGINAL HAMBURGUESA CONDIMENTADA CON PICADILLO PICANTE DE CARNE PROVIENE DE LOS RESTAURANTES DE LOS ÁNGELES.

PARA 4 UNIDADES

450 g de buey (vaca) recién picado

1 cucharadita de sal

½ cucharadita de pimienta

1 cucharada de mantequilla

4 panecillos tiernos para hamburguesa abiertos

½ porción de Picadillo picante de carne (véase la página 194) caliente

rodajas de cebolla roja

30-55 g de cheddar rallado

1. Ponga el buey picado en un bol mediano con la sal y la pimienta y mézclelo con suavidad. Divídalo en 4 porciones iguales y deles forma de hamburguesa.

2. Caliente una sartén grande a fuego medio-alto. Derrita la mantequilla y caliéntela hasta que deje de espumar. Ase las hamburguesas unos 4 minutos, sin tocarlas, hasta que se doren y se desprendan fácilmente de la sartén. Deles la vuelta y áselas otros 4 minutos por el otro lado, o hasta que alcancen el punto deseado.

3. Reparta los panecillos abiertos entre 4 platos. Ponga una hamburguesa en cada uno, añada el picadillo de carne y esparza la cebolla y el queso por encima. Sírvalas enseguida.

KA-POW!

PARA COMERSE ESTA HAMBURGUESA NECESITARÁ UN TENEDOR.

HAMBURGUESAS CON CEBOLLA CARAMELIZADA

PREP.: 15 min

COCCIÓN: menos de 15 min

LAS HAMBURGUESAS AROMATIZADAS CON ROMERO SE ACOMPAÑAN DE CEBOLLA CARAMELIZADA, FOCACCIA Y QUESO MANCHEGO.

PARA 4 UNIDADES

450 g de buey (vaca) recién picado

1 cucharadita de sal

1/2 cucharadita de pimienta

1/2 cucharadita de romero fresco picado

aceite vegetal, para asar

55-85 g de queso manchego rallado o 4 lonchas de queso manchego

125 ml de mayonesa

4 porciones de focaccia, de unos 15 cm, abiertas

Cebolla caramelizada (véase la página 202)

hojas de lechuga romana

rodajas de tomate (jitomate)

1. Ponga el buey picado en un bol mediano con la sal, la pimienta y el romero y mézclelo con suavidad. Divídalo en 4 porciones iguales y deles forma de hamburguesa.

2. Caliente una sartén o una plancha estriada a fuego medio-alto. Vierta aceite suficiente para cubrir la base. Ase las hamburguesas unos 4 minutos, sin tocarlas, hasta que se doren y se desprendan fácilmente de la plancha. Deles la vuelta y áselas 2 minutos por el otro lado. Esparza el queso por encima y déjelas en el fuego un par de minutos más, o hasta que alcancen el punto deseado.

3. Unte la focaccia con la mayonesa. Reparta las hamburguesas entre la base de los panecillos, añada la cebolla caramelizada, la lechuga y el tomate, y sírvalas enseguida.

PASO 2

PASO 2

PASO 3

La focaccia, un tipo de pan italiano, es una deliciosa alternativa al panecillo de hamburguesa tradicional.

HAMBURGUESAS DE PICADILLO DE CARNE

PREP.: 10 min   COCCIÓN: 1 hora

EL SECRETO DE ESTA RECETA RESIDE EN COCINAR EL PICADILLO A FUEGO LENTO HASTA QUE QUEDE TIERNO Y JUGOSO. AUNQUE SE SIRVE CON TENEDOR, LA GRACIA CONSISTE EN COMERSE EL BOCADILLO CON LAS MANOS.

PARA 4-6 UNIDADES

675 g de buey (vaca) recién picado

$1/2$ cebolla en daditos

2 dientes de ajo majados

1 pimiento (chile) verde sin pepitas y en daditos

450 ml de agua

175 ml de kétchup

$1^1/_2$ cucharadas de azúcar moreno

1 cucharadita de mostaza de Dijon

1 chorrito de salsa Worcestershire

$1^1/_2$ cucharaditas de sal

$1/2$ cucharadita de pimienta

cayena molida, al gusto

4-6 panecillos para hamburguesa abiertos

patatas (papas) fritas, para acompañar (opcional)

1. Ponga el buey picado y la cebolla en una sartén grande en frío y caliéntelo a fuego medio. Rehóguelo, desmenuzando la carne con una cuchara de madera, hasta que empiece a dorarse.

2. Añada el ajo y el pimiento y rehóguelo bien, removiendo, 2 minutos. Vierta la mitad del agua. Cuézalo hasta que borbotee, desglasando el jugo de la cocción.

3. Incorpore el kétchup, el azúcar, la mostaza, la salsa Worcestershire, la sal, la pimienta, la cayena y el agua restante. Llévelo a ebullición, baje el fuego al mínimo y cuézalo de 30 a 45 minutos, o hasta que se evapore casi todo el líquido y el picadillo esté tierno y jugoso. Repártalo entre la base de los panecillos. Coloque la parte superior y sírvalo enseguida, si lo desea con patatas fritas.

EL BOCADILLO SE SIRVE
CALIENTE, PERO EL PICADILLO
PUEDE PREPARARSE CON
ANTELACIÓN Y RECALENTARSE.
SI PREPARA EL DOBLE DE
CANTIDAD SE CONSERVARÁ
HASTA TRES MESES EN EL
CONGELADOR.

HAMBURGUESAS DE ALUBIAS ROJAS

PREP.: 15 min **COCCIÓN: 10-12 min**

PARA 4 UNIDADES

425 g de alubias (porotos) rojas cocidas

410 g de garbanzos (chícharos) cocidos

1 yema de huevo

$1/4$ de cucharadita de pimentón ahumado

50 g de pan recién rallado

3 cebolletas (cebollas tiernas) picadas

aceite, para untar

sal y pimienta

4 panecillos para hamburguesa abiertos

hojas de lechuga

rodajas de tomate (jitomate)

4 cucharadas de nata (crema) agria

1. Precaliente la plancha a la temperatura máxima.

2. Ponga en un bol grande las alubias, los garbanzos, la yema de huevo, el pimentón, el pan rallado y la cebolleta y mézclelo bien. Salpimiente. Divídalo en 4 porciones iguales y deles forma de hamburguesa. Salpiméntelas por fuera y píntelas con un poco de aceite.

3. Pinte la plancha con aceite. Ase las hamburguesas 5 minutos por cada lado o hasta que estén en su punto. Unte el interior de los panecillos con aceite y tuéstelos en la plancha, con la parte cortada hacia abajo, un par de minutos. Ponga unas hojas de lechuga y unas rodajas de tomate en la base. Coloque las hamburguesas, la nata agria y la parte superior de los panecillos. Sírvalas enseguida.

SI LE CUESTA MOLDEAR LAS HAMBURGUESAS, AÑADA UN POCO MÁS DE ACEITE A LA PASTA PARA QUE QUEDE MÁS MALEABLE.

HAMBURGUESAS CON SALSA BARBACOA

PREP.: 15 min

COCCIÓN: menos de 10 min

ESTA SENCILLA HAMBURGUESA LLEVA SALSA BARBACOA. PARA OBTENER UN SABOR AÚN MÁS AUTÉNTICO, AHÚMELAS (VÉASE LA PÁGINA **94**).

PARA 4 UNIDADES

450 g de buey (vaca) recién picado

1 cucharadita de sal

$\frac{1}{2}$ cucharadita de pimienta

30 g de cebolla picada

1 diente de ajo majado

175 ml de Salsa barbacoa (véase la página 172)

4 panecillos tiernos para hamburguesa abiertos

hojas de lechuga

rodajas de tomate (jitomate)

1. Precaliente la plancha a temperatura media-alta. Ponga el buey picado en un bol mediano con la sal, la pimienta, la cebolla y el ajo y mézclelo con suavidad. Divídalo en 4 porciones iguales y deles forma de hamburguesa.

2. Ponga $\frac{1}{2}$ taza de la salsa barbacoa en un bol.

3. Ase las hamburguesas a la plancha 4 minutos, hasta que se doren por un lado. Deles la vuelta, píntelas con la salsa barbacoa del bol y áselas 4 minutos por el otro lado, o hasta que alcancen el punto deseado.

4. Unte los panecillos con la salsa barbacoa restante y reparta las hamburguesas entre las bases. Añada unas hojas de lechuga, unas rodajas de tomate y la parte superior de los panecillos, y sírvalas enseguida.

PASO 1

PASO 3

PASO 3

SI NO TIENE TIEMPO DE PREPARAR LA SALSA BARBACOA EN CASA, CÓMPRELA ENVASADA.

45

BOCADILLOS DE HAMBURGUESA DE PAVO

PREP.: 20 min **COCCIÓN: 20 min**

A ESTAS HAMBURGUESAS INSPIRADAS EN LOS SÁNDWICHES DOBLES DE PECHUGA DE PAVO, BEICON, LECHUGA Y TOMATE NO LES FALTA NI UN SOLO DETALLE.

PARA 4 UNIDADES

450 g de pavo recién picado

1 diente de ajo majado

$1^1/_2$ cucharaditas de romero fresco picado

1 cucharadita de sal

$^1/_2$ cucharadita de pimienta

6 lonchas de beicon (panceta)

8 rebanadas de pan de hogaza o de molde tostadas

2-3 cucharadas de aliño ranchero (aliño estadounidense elaborado con suero de leche, mayonesa, cebolla, hierbas y especias)

hojas de lechuga

rodajas de tomate (jitomate)

1. Precaliente la plancha a temperatura media-alta. Mezcle en un bol el pavo picado con el ajo, el romero, la sal y la pimienta. Divídalo en 4 porciones iguales y deles forma de hamburguesas gruesas.

2. Dore el beicon en una sartén a fuego medio unos 8 minutos, o hasta que esté crujiente. Déjelo escurrir sobre papel de cocina y parta las lonchas por la mitad.

3. Unte las rebanadas de pan con $^1/_2$ cucharadita del aliño.

4. Ase las hamburguesas a la plancha a fuego medio, tapadas, 4 o 5 minutos por cada lado o hasta que estén hechas.

5. Reparta las hamburguesas entre 4 rebanadas del pan y añada el beicon, la lechuga y el tomate. Condiméntelo con un poco más de aliño y tape los bocadillos con las rebanadas restantes. Sírvalos enseguida.

HAMBURGUESAS CON MANTEQUILLA

PREP.: 30 min + refrigeración

COCCIÓN: 10 min

ESTAS HAMBURGUESAS PUEDEN PREPARARSE CON MANTEQUILLA SIN CONDIMENTAR, PERO EL AJO Y LAS HIERBAS LES CONFIEREN UN TOQUE ESPECIAL.

PARA 4 UNIDADES

5 cucharadas de mantequilla

1/2 cucharadita de ajo majado

1 cucharada de perejil picado

1 cucharadita de tomillo, romero y/o salvia frescos picados

1 1/2 cucharaditas de sal

450 g de buey (vaca) recién picado

4 panecillos tiernos para hamburguesa abiertos

1. Ponga en un cuenco 4 cucharadas de la mantequilla, el ajo, las hierbas y 1/2 cucharadita de la sal y mézclelo con suavidad. Ponga la mantequilla condimentada sobre un trozo de film transparente y enróllelo hasta obtener un cilindro de 2,5 cm de grosor. Refrigérela 1 hora o, si no va a utilizarla enseguida, hasta 2 días.

2. Cuando vaya a preparar las hamburguesas, saque la mantequilla condimentada del frigorífico, córtela en cuatro rodajas iguales y resérvela a temperatura ambiente.

3. Mezcle el buey picado con la sal restante en un bol grande. Divídalo en 4 porciones iguales y deles forma de hamburguesa.

4. Caliente una sartén grande a fuego medio-alto. Eche la mantequilla restante y caliéntela hasta que espume. Cuando deje de espumar, ase las hamburguesas unos 4 minutos, sin tocarlas, hasta que se doren y se desprendan fácilmente de la sartén. Deles la vuelta y áselas 4 minutos por el otro lado, o hasta que alcancen el punto deseado.

5. Reparta las hamburguesas entre la base de los panecillos. Añada la mantequilla condimentada y la parte superior de los panecillos y sírvalas enseguida.

CONDIMENTE LA MANTEQUILLA
CON LAS HIERBAS QUE DESEE.
PRUEBE CON PEREJIL, ORÉGANO,
CEBOLLINO, ALBAHACA O
ESTRAGÓN, O AÑADA UN POCO
DE GUINDILLA ROJA PARA DARLE
UN TOQUE PICANTE.

HAMBURGUESAS DE CORDERO

PREP.: 10 min + refrigeración

COCCIÓN: 20-25 min

PARA 4-6 UNIDADES

2 cucharadas de aceite de oliva

1 pimiento (chile) rojo sin pepitas y en cuartos

1 pimiento (chile) amarillo sin pepitas y en cuartos

1 cebolla roja en gajos gruesos

1 berenjena tierna en gajos

450 g de carne de cordero recién picado

2 cucharadas de parmesano recién rallado

1 cucharada de menta picada

sal y pimienta

4-6 panecillos para hamburguesa abiertos

lechuga en juliana

hortalizas asadas, como pimientos (chiles) y tomates (jitomates) cherry, para acompañar

MAYONESA CON MOSTAZA A LA MENTA

4 cucharadas de mayonesa

1 cucharadita de mostaza de Dijon

1 cucharada de menta picada

1. Precaliente la barbacoa a temperatura media-alta. Pinte la parrilla con aceite.

2. Ponga el pimiento, la cebolla y la berenjena en la parrilla y áselos a la brasa de 10 a 12 minutos, o hasta que se chamusquen. Saque las hortalizas de la barbacoa, déjelas enfriar y pele los pimientos.

3. Ponga las hortalizas asadas en el robot de cocina o la batidora y tritúrelas en intervalos breves. Mézclelas bien con el cordero picado, el parmesano y la menta. Salpimiente. Divídalo en bolitas y aplástelas hasta obtener hamburguesas de 2,5 cm de grosor. Salpiméntelas por fuera y píntelas con un poco de aceite.

4. A continuación, prepare la mayonesa con mostaza a la menta. Mezcle bien todos los ingredientes, tápela y refrigérela hasta que vaya a servirla.

5. Ase las hamburguesas a la brasa 5 minutos por cada lado o hasta que estén hechas por dentro. Unte el interior de los panecillos con aceite y tuéstelos en la barbacoa, con la parte cortada hacia abajo, un par de minutos. Reparta la lechuga en juliana entre las bases, ponga las hamburguesas encima, úntelas con la mayonesa y añada la parte superior de los panecillos. Sírvalas enseguida con hortalizas asadas para acompañar.

EN ESTE CASO LA COMBINACIÓN TRADICIONAL DE CORDERO Y MENTA SE REALZA CON EL DULZOR DEL PIMIENTO, LA INTENSIDAD DE LA BERENJENA Y EL PUNTO ACRE DEL PARMESANO.

HAMBURGUESAS DE POLLO CON BEICON

PREP.: 10 min + refrigeración

COCCIÓN: 10-15 min

PARA 4 UNIDADES

450 g de pollo recién picado

1 cebolla rallada

2 dientes de ajo majados

55 g de piñones tostados

55 g de gruyer rallado

2 cucharadas de cebollino (cebollín) picado

2 cucharadas de harina integral

8 lonchas de beicon (panceta)

1-2 cucharadas de aceite de girasol

sal y pimienta

4 panecillos abiertos

rodajas de cebolla roja

hojas de lechuga

mayonesa

cebolletas (cebollas tiernas) picadas

1. Ponga el pollo picado, la cebolla, el ajo, los piñones, el gruyer, el cebollino, sal y pimienta en el robot de cocina o la batidora. Triture los ingredientes en intervalos breves y rápidos. Vuelque el picadillo sobre una tabla de cocina y dele forma de 4 hamburguesas iguales. Rebócelas con la harina, tápelas y refrigérelas 1 hora.

2. Envuelva cada hamburguesa con 2 lonchas de beicon, fijándolas con un palillo.

3. Caliente una sartén de base gruesa y eche el aceite. Cuando esté caliente, ase las hamburguesas a fuego medio 5 o 6 minutos por cada lado, o hasta que estén bien hechas.

4. Reparta las hamburguesas entre la base de los panecillos y añada la cebolla, la lechuga, 1 cucharada de mayonesa y la cebolleta. Sírvalas enseguida.

PARA DAR OTRO SABOR Y
TEXTURA A ESTAS SUCULENTAS
HAMBURGUESAS, SUSTITUYA LOS
PIÑONES POR ALMENDRA LAMI-
NADA O ANACARDOS SIN SAL.
SI LOS FRUTOS SECOS ESTÁN
ENTEROS, PÍQUELOS Y, SI LO
PREFIERE, TUÉSTELOS UN POCO.

HAMBURGUESAS CON CHILE POBLANO

PREP.: *20 min* + *refrigeración*

COCCIÓN: *45 min*

EL CHILE POBLANO, UN TIPO DE GUINDILLA VERDE OSCURO DE ORIGEN MEXICANO, ES UN CONDIMENTO HABITUAL EN EL ESTADO DE COLORADO. CUANTO MÁS OSCURO SEA, MÁS FUERTE SERÁ EL SABOR.

PARA 4 UNIDADES

8 chiles poblanos
2 cebollas
3 dientes de ajo
1 cucharada de aceite vegetal
1$\frac{1}{2}$ cucharaditas de sal
900 g de buey (vaca) recién picado
4 lonchas de cheddar
4-6 panecillos para hamburguesa abiertos

1. Precaliente la plancha a la temperatura máxima. Ase los chiles, dándoles la vuelta de vez en cuando, hasta que se chamusquen. Resérvelos unos 15 minutos, o hasta que pueda manipularlos sin quemarse.

2. Mientras tanto, pique por separado las cebollas y los ajos. Pele los chiles y píquelos.

3. Ponga el aceite, tres cuartas partes de la cebolla picada y $\frac{1}{2}$ cucharadita de la sal en un cazo a fuego medio y rehogue la cebolla, removiendo a menudo, unos 3 minutos o hasta que se ablande. Añada el ajo y el chile, tape el cazo, baje el fuego y rehóguelo unos 30 minutos, o hasta que los sabores se mezclen y todas las hortalizas se hayan ablandado. Resérvelo.

4. Ponga el buey picado y la sal restante en un bol grande y mézclelo con suavidad. Divídalo en 4 porciones iguales y deles forma de hamburguesa. Tápelas y refrigérelas.

5. Tueste los panecillos a la plancha, con la parte cortada hacia abajo, un par de minutos. Póngalos en platos.

6. Ase las hamburguesas a la plancha unos 4 minutos, hasta que se doren por un lado, y deles la vuelta. Transcurridos 2 minutos, póngales las lonchas de queso encima, tápelas y áselas unos 3 minutos más, o hasta que la carne alcance el punto deseado y el queso se derrita.

7. Reparta las hamburguesas entre la base de los panecillos. Añada la salsa de chile poblano, la cebolla picada restante y la parte superior de los panecillos. Sírvalas enseguida.

PASO 6

PASO 1

Encontrará chiles poblanos en establecimientos especializados en alimentos de Suramérica. Aun así, puede sustituirlos por la variedad de guindilla que desee, teniendo en cuenta que el grado de picante puede variar considerablemente.

SÁNDWICH DE HAMBURGUESA

PREP.: 20 min   COCCIÓN: 12 min

ESTE SÁNDWICH DE PAN DE CENTENO SE PREPARA CON LA COMBINACIÓN TRADICIONAL DE HAMBURGUESA Y QUESO Y, ADEMÁS, CEBOLLA CARAMELIZADA.

PARA 4 UNIDADES

2 cucharadas de mantequilla ablandada, y un poco más para untar

8 rebanadas de pan de molde de centeno

8 lonchas de cheddar

600 g de buey (vaca) recién picado

1 cucharadita de sal

½ cucharadita de pimienta

Cebolla caramelizada (véase la página 202)

1. Unte el pan con la mantequilla. Coloque 4 rebanadas, con la parte untada hacia abajo, en la encimera. Disponga una loncha de cheddar sobre cada una.

2. Ponga el buey picado en un bol con la sal y la pimienta y mézclelo con suavidad. Divídalo en 4 porciones iguales y deles forma de hamburguesa cuadrada.

3. Pinte una plancha estriada o una sartén con mantequilla y caliéntela a fuego medio. Ase las hamburguesas unos 4 minutos por cada lado, o hasta que alcancen el punto deseado. Lave la plancha.

4. Reparta las hamburguesas entre las rebanadas con queso y añada la cebolla caramelizada y las lonchas de queso restantes. Tápelo con las otras rebanadas.

5. Tueste los sándwiches en la plancha limpia a fuego medio 2 minutos por cada lado, o hasta que se doren. Sírvalos enseguida.

El queso y la cebolla forman una combinación irresistible. Si no tiene tiempo de preparar la cebolla caramelizada en casa, cómprela envasada.

HAMBURGUESAS HAWAIANAS DE PESCADO

PREP.: 10 min   COCCIÓN: 10 min

LAS HAMBURGUESAS DE PESCADO SON TÍPICAS DE HAWÁI, DONDE SUELEN ELABORARSE CON MAHI MAHI (LAMPUGA). SI NO ENCUENTRA LAMPUGA PUEDE PREPARAR LA RECETA CON OTRO TIPO DE PESCADO BLANCO.

PARA 4 UNIDADES

4 filetes de lampuga u otro tipo de pescado blanco de unos 115-175 g

2 cucharaditas de aceite vegetal

$1/2$ cucharadita de sal marina

$1/4$ de cucharadita de pimienta

4 panecillos tiernos para hamburguesa abiertos

4 cucharadas de Salsa tártara (véase la página 182)

rodajas de cebolla

rodajas de tomate (jitomate)

hojas de lechuga

1. Enjuague el pescado y séquelo. Unte las dos caras de los filetes con el aceite y salpimiéntelos. Póngalos en la bandeja del horno.

2. Precaliente el gratinador a la temperatura máxima y coloque la rejilla a unos 8 cm del fuego.

3. Pase los filetes de pescado a la rejilla, gratínelos 4 minutos, deles la vuelta y áselos 3 minutos por el otro lado, o hasta que los bordes comiencen a dorarse y el pescado empiece a estar hecho (la parte central debería desmenuzarse con facilidad al pincharla con un cuchillo).

4. Unte la base de los panecillos con la salsa tártara y añada los filetes de pescado, la cebolla, el tomate y la lechuga. Añada la parte superior de los panecillos y sírvalas enseguida.

PARA DAR UN TOQUE HAWAIANO
A LAS HAMBURGUESAS,
AÑÁDALES UNAS RODAJAS
DE PIÑA.

HAMBURGUESAS RELLENAS DE QUESO

PREP.: 20 min   **COCCIÓN: 15-25 min**

ESTAS HAMBURGUESAS TÍPICAS DE MINNESOTA SON TAN GRANDES QUE INCLUSO PUEDEN RELLENARSE. TENGA CUIDADO AL COMERLAS PORQUE PODRÍA QUEMARSE CON EL QUESO DERRETIDO DEL INTERIOR.

PARA 2 UNIDADES

325 g de buey (vaca) recién picado

1 cucharadita de sal

½ cucharadita de pimienta

2 lonchas de queso partidas en cuartos

aceite vegetal, para asar

½ cebolla roja en rodajas

2 panecillos tiernos para hamburguesa abiertos

hojas de lechuga

rodajas de tomate (jitomate)

1. Precaliente la plancha a temperatura media-alta. Ponga el buey picado en un bol pequeño con la sal y la pimienta y mézclelo con suavidad. Divídalo en 4 porciones iguales y deles forma de bolitas. Póngalas en la encimera y aplánelas hasta que tengan un diámetro algo superior al de los panecillos y 1 cm de grosor. Disponga el queso en forma de círculo encima de dos de las hamburguesas, dejando un borde de 1 cm. Añada las otras dos hamburguesas y presione los lados para encerrar el relleno de modo que el queso no se salga durante la cocción.

2. Caliente el aceite a fuego medio en una sartén. Saltee la cebolla unos 8 minutos, removiendo, hasta que esté tierna y dorada. Si lo prefiere, ásela a la plancha 2 minutos por cada lado mientras asa las hamburguesas.

3. Ponga las hamburguesas en la plancha, con la parte redondeada hacia arriba. Áselas 8 minutos, deles la vuelta con cuidado y hágalas de 5 a 7 minutos por el otro lado.

4. Reparta las hamburguesas entre la base de los panecillos, añada la cebolla, la lechuga, el tomate y la parte superior de los panecillos y sírvalas enseguida.

PASO 2

PASO 1

RELLENE LAS HAMBURGUESAS
CON EL QUESO QUE PREFIERA.
PARA QUE RESULTEN AÚN MÁS
APETECIBLES, AÑADA UNOS
TROCITOS DE BEICON FRITO AL
RELLENO DE QUESO.

HAMBURGUESAS EN LECHUGA

PREP.: 15 min   COCCIÓN: menos de 10 min

ESTAS HAMBURGUESAS NO LLEVAN PAN NI QUESO PARA QUE NO INTERFIERAN EN EL SABOR DE LA CARNE. LA LECHUGA JUGOSA Y CRUJIENTE ES EL MEJOR CONTRAPUNTO DE LA INTENSIDAD DEL BUEY.

PARA 4 UNIDADES

450 g de buey (vaca) recién picado

$1/4$ de cucharadita de tomillo seco o $1/2$ cucharadita de tomillo fresco picado

rodajas de calabacín (zapallito)

aceite vegetal, para pintar

hojas de lechuga

rodajas de tomate (jitomate)

rodajas de cebolla

sal y pimienta

1. Precaliente una plancha estriada a temperatura media-alta. Ponga el buey picado en un bol mediano con $1/2$ cucharadita de sal, $1/4$ de cucharadita de pimienta y el tomillo. Divídalo en 4 porciones iguales y deles forma de hamburguesa.

2. Unte el calabacín con un poco de aceite y salpimiéntelo.

3. Ponga las hamburguesas y el calabacín en la plancha. Ase las rodajas de calabacín unos 3 minutos por cada lado, hasta que se ablanden y queden marcadas con las estrías de la plancha. Ase las hamburguesas 4 minutos por cada lado, o hasta que alcancen el punto deseado.

4. Disponga cada hamburguesa sobre unas hojas de lechuga. Añada el calabacín, el tomate y la cebolla y envuélvalo todo con la lechuga. Sírvalas enseguida.

Si se ha propuesto reducir el consumo de carbohidratos en la dieta, esta hamburguesa sin pan le irá como anillo al dedo.

CAPÍTULO 2
SOFISTICADAS

HAMBURGUESAS DE CERDO A LA BARBACOA

PREP.: 20 min + reposo **COCCIÓN: 6 horas**

EL CERDO SE CUBRE DE ESPECIAS, SE ASA A FUEGO LENTO A LA BARBACOA, SE DESMENUZA Y SE ADEREZA CON SALSA AGRIDULCE.

PARA 12 PERSONAS

2,25 kg de aguja de cerdo en un trozo

30 g de pimentón dulce

50 g de azúcar moreno

2 cucharadas de sal

2 cucharadas de pimienta

2 cucharadas de comino molido

2 cucharadas de mostaza molida

1 cucharada de cayena

12 panecillos tiernos para hamburguesa abiertos

Pepino encurtido (véase la página 178)

Salsa barbacoa (véase página 172)

1. Precaliente la barbacoa a fuego bajo-medio, juntando las brasas a un lado y dejando el otro libre (si es de gas, caliente solo una parte). Ponga una cazuela medio llena de agua en la parte del fuego y coloque la parrilla encima.

2. Enjuague la carne y séquela. Mezcle el pimentón con el azúcar, la sal, la pimienta, el comino, la mostaza y la cayena en un bol pequeño. Frote la carne con las especias hasta que quede cubierta de una gruesa capa.

3. Disponga la carne en la parrilla sobre la cazuela con agua, tápela y ásela durante 6 horas, hasta que esté bien tierna. Controle el fuego cada 30 minutos para comprobar que sigue encendido, añadiendo más carbón si fuera necesario.

4. Retire la carne de la parrilla y déjela reposar de 10 a 20 minutos. Desmenúcela con un par de tenedores o unas pinzas.

5. Sirva el cerdo desmenuzado en una fuente con los panecillos, el pepino y la salsa barbacoa para que cada comensal se sirva.

HAMBURGUESAS CON ESPECIAS Y QUESO AZUL

PREP.: 30 min   **COCCIÓN: 10 min**

ESTAS HAMBURGUESAS SE ASAN CON UNA CAPA DE ESPECIAS Y SE SIRVEN CON QUESO AZUL.

PARA 4 UNIDADES

115 g de queso azul

50 ml de mayonesa

50 ml de nata (crema) agria

1 chalote (echalote) picado

1 cucharadita de pimienta

1 cucharadita de pimentón dulce

1 cucharadita de tomillo

1 cucharadita de sal

½ cucharadita de cayena

450 g de buey (vaca) recién picado

4 panecillos para hamburguesa con sésamo abiertos

hojas de lechuga

rodajas de tomate (jitomate)

1. Con un tenedor, chafe el queso con la mayonesa y la nata en un bol hasta obtener una salsa lo más homogénea posible. Incorpore el chalote y resérvela.

2. Mezcle en un cuenco la pimienta con el pimentón, el tomillo, la sal y la cayena.

3. Divida el buey picado en 4 porciones iguales y deles forma de hamburguesa. Sazónelas por ambos lados con las especias.

4. Caliente una sartén antiadherente grande a fuego fuerte. Ase las hamburguesas unos 4 minutos, hasta que las especias formen una fina costra y los bordes se doren. Deles la vuelta y áselas otros 4 minutos, o hasta que alcancen el punto deseado.

5. Reparta las hamburguesas entre los panecillos, condiméntelas con la salsa de queso, añada la lechuga y el tomate y sírvalas enseguida.

PASO 1

PASO 2

PASO 4

SUSTITUYA LAS ESPECIAS A
CONVENIENCIA. PARA OBTENER
UN SABOR TOTALMENTE
DISTINTO, UTILICE AJO,
CEBOLLA O INCLUSO GUINDILLA
MOLIDOS.

HAMBURGUESAS DE REMOLACHA

PREP.: 30 min + reposo y refrigeración

COCCIÓN: 35-40 min

ESTAS SALUDABLES HAMBURGUESAS DE REMOLACHA
Y MIJO SON ORIGINARIAS DE AUSTRALIA. LA ACIDEZ
DE LA SALSA DE YOGUR CONTRASTA CON EL DULZOR
DE LAS HORTALIZAS.

PARA 4 UNIDADES

100 g de mijo

175 ml de agua con una pizca de sal

150 g de remolacha (betarraga) rallada (1-2 unidades)

30 g de zanahoria rallada

175 g de calabacín (zapallito) rallado

60 g de nueces picadas

2 cucharadas de vinagre de sidra

2 cucharadas de aceite de oliva virgen extra, y un poco más para asar

1 huevo

2 cucharadas de maicena

225 ml de yogur

2 cucharaditas de ajo majado

4 panecillos de cereales abiertos

hojas de lechuga

sal y pimienta

1. Enjuague y escurra el mijo y póngalo en un cazo con el agua. Caliéntelo a fuego medio, llévelo a ebullición, tápelo y cuézalo a fuego lento de 20 a 25 minutos, hasta que esté tierno. Apártelo del calor y déjelo reposar 5 minutos, tapado.

2. Ponga la remolacha, la zanahoria, el calabacín y las nueces en un bol grande. Añada el mijo, el vinagre, el aceite, 1/2 cucharadita de sal y 1/4 de cucharadita de pimienta y mézclelo bien. Incorpore el huevo y la maicena y refrigere la pasta 2 horas.

3. Pase el yogur por un colador fino y déjelo escurrir al menos 30 minutos. Incorpore el ajo y salpimiente.

4. Llene 1/2 taza con la pasta de hortalizas y mijo, comprimiéndola bien, vuélquela y dele forma de hamburguesa. Repita la operación hasta obtener 4 unidades. Caliente una plancha o una sartén grande a fuego medio y píntela con aceite. Ase las hamburguesas unos 5 minutos por cada lado, dándoles la vuelta con cuidado, hasta que se doren.

5. Unte los panecillos con la salsa de yogur y añada las hamburguesas y la lechuga. Sírvalas enseguida.

LAS REMOLACHAS PEQUEÑAS SON MUCHO MÁS DULCES Y TIERNAS QUE LAS GRANDES, QUE PUEDEN RESULTAR DURAS.

HAMBURGUESAS DE CERDO

PREP.: 25 min + refrigeración

COCCIÓN: 45 min

PARA 4-6 UNIDADES

450 g de solomillo de cerdo en trocitos

3 cucharadas de confitura de naranja

2 cucharadas de zumo (jugo) de naranja

1 cucharada de vinagre (aceto) balsámico

225 g de chirivías troceadas

1 cucharada de ralladura fina de naranja

2 dientes de ajo majados

6 cebolletas (cebollas tiernas) picadas

1 calabacín (zapallito) en juliana

1 cucharada de aceite de girasol

sal y pimienta

hojas de lechuga

4-6 panecillos de hamburguesa abiertos

1. Ponga el solomillo de cerdo en un plato llano. En un cazo, caliente la confitura con el zumo de naranja y el vinagre, removiendo, hasta que la confitura se diluya. Vierta el adobo sobre el solomillo, tápelo y déjelo macerar al menos 30 minutos. Reserve el adobo y pique el solomillo.

2. Mientras tanto, cueza las chirivías en una cazuela con agua hirviendo de 15 a 20 minutos, o hasta que estén tiernas. Escúrralas, cháfelas y añádalas al cerdo picado. Incorpore la ralladura de naranja, el ajo, la cebolleta y el calabacín y salpimiente. Mézclelo todo bien y forme 6 hamburguesas. Tápelas y refrigérelas al menos 30 minutos.

3. Precaliente la barbacoa a temperatura media-alta. Pinte las hamburguesas con un poco de aceite y áselas de 4 a 6 minutos por cada lado, o hasta que estén hechas. Hierva el adobo reservado 5 minutos como mínimo y páselo a un cuenco.

4. Reparta la lechuga entre la base de los panecillos y coloque las hamburguesas encima. Rocíelas con el adobo caliente, tápelas con la parte superior de los panecillos y sírvalas enseguida.

KA-POW!

El secreto de estas hamburguesas es el zumo y la ralladura de naranja. Además, los trozos más grandes de piel de la confitura le confieren textura.

73

HAMBURGUESAS DE ATÚN

PREP.: 15 min + refrigeración

COCCIÓN: 25-35 min

EL ATÚN, LA GUINDILLA Y EL MANGO FORMAN ESTA RECETA CONTEMPORÁNEA. NO ASE DEMASIADO EL ATÚN PARA QUE NO QUEDE SECO Y SIRVA LAS HAMBURGUESAS BIEN CALIENTES.

PARA 4-6 UNIDADES

225 g de boniato (papa dulce) picado

450 g de filetes de atún

6 cebolletas (cebollas tiernas) picadas

1 calabacín (zapallito) en juliana

1 guindilla (ají picante) roja fresca sin pepitas y picada

2 cucharadas de chutney de mango

1 cucharada de aceite de girasol

sal

hojas de lechuga

ENSALADA DE MANGO

1 mango grande maduro pelado y sin hueso

2 tomates (jitomates) maduros picados

1 guindilla (ají picante) roja fresca sin pepitas y picada

1 trozo de pepino de 4 cm en daditos

1 cucharada de cilantro picado

1-2 cucharaditas de miel

1. Cueza el boniato en una cazuela de agua hirviendo con un poco de sal de 15 a 20 minutos, o hasta que esté tierno. Escúrralo, cháfelo y póngalo en el robot de cocina o la batidora. Trocee el atún y añádalo al boniato.

2. Agregue la cebolleta, el calabacín, la guindilla y el chutney de mango y tritúrelo todo en intervalos breves. Forme de 4 a 6 hamburguesas, tápelas y refrigérelas 1 hora.

3. Mientras tanto, prepare la ensalada. Trocee el mango, reservando de 8 a 12 láminas para servir. Pique el mango restante y mézclelo con el tomate, la guindilla, el pepino, el cilantro y la miel. Remueva bien y pase la ensalada a un cuenco. Tápela y déjela reposar 30 minutos para que los sabores se entremezclen.

4. Precaliente la barbacoa. Pinte las hamburguesas con un poco de aceite y áselas a la brasa 4 o 6 minutos por cada lado, o hasta que estén calientes. Sírvalas enseguida con la ensalada de mango, adornadas con hojas de lechuga y el mango reservado.

PASO 3

PASO 1

Estas hamburguesas pueden condimentarse con una gran variedad de salsas y aderezos. Pruébelas con Mermelada de tomate y cebolla roja (véase la página 184) o Maíz dulce con especias (véase la página 190).

HAMBURGUESAS DE QUESO Y MANZANA

PREP.: 12 min + refrigeración

COCCIÓN: 25-35 min

PARA 4-6 UNIDADES

- 175 g de patatas (papas) nuevas
- 225 g de frutos secos variados, como pacanas (nueces pecán), almendras y avellanas
- 1 cebolla troceada
- 2 manzanas pequeñas peladas, sin corazón y ralladas
- 175 g de queso azul desmenuzado
- 55 g de pan integral recién rallado
- 2 cucharadas de harina integral
- 1-2 cucharadas de aceite de girasol
- sal y pimienta
- hojas de lechuga
- 4-6 panecillos de hamburguesa con queso abiertos
- rodajas de cebolla roja

1. Cueza las patatas en una cazuela de agua hirviendo de 15 a 20 minutos, o hasta que estén tiernas. Escúrralas y deshágalas con un chafapatatas. Páselas a un bol grande.

2. Triture los frutos secos con la cebolla en el robot de cocina o la batidora en intervalos breves y páselo al bol. Añada la manzana, el queso y el pan rallado. Salpimiente. Mézclelo bien y forme 6 hamburguesas. Rebócelas con la harina, tápelas y refrigérelas 1 hora.

3. Precaliente la barbacoa a temperatura media. Pinte las hamburguesas con el aceite y áselas a la brasa 5 o 6 minutos por cada lado, o hasta que estén hechas.

4. Reparta la lechuga entre la base de los panecillos y coloque las hamburguesas encima. Añada unas rodajas de cebolla roja y la parte superior de los panecillos y sírvalas enseguida.

LA MANZANA Y LOS FRUTOS
SECOS SUAVIZAN EL SABOR
DOMINANTE DEL QUESO AZUL.
COMO ESTAS HAMBURGUESAS
SE PREPARAN CON INGREDIEN-
TES HABITUALES, SON UN BUEN
RECURSO DE ÚLTIMA HORA.

HAMBURGUESAS DE PAVO AL ESTRAGÓN

PREP.: 20 min + refrigeración

COCCIÓN: 20-30 min

ESTAS HAMBURGUESAS CONTIENEN UNA SALUDABLE COMBINACIÓN DE INGREDIENTES. EL PAVO Y EL ESTRAGÓN SON LOS SABORES DOMINANTES, MIENTRAS QUE EL TRIGO BULGUR APORTA TEXTURA.

PARA 4 UNIDADES

55 g de trigo bulgur

450 g de pavo recién picado

1 cucharada de ralladura fina de naranja

1 cebolla roja picada

1 pimiento (chile) amarillo sin pepitas, pelado y picado

25 g de almendra laminada tostada

1 cucharada de estragón picado

1-2 cucharadas de aceite de girasol

sal y pimienta

hojas de lechuga

confitura de tomate (jitomate)

ensalada de tomate (jitomate) y cebolla, para acompañar

1. Cueza el bulgur en una cazuela de agua hirviendo con un poco de sal de 10 a 15 minutos, o según las indicaciones del envase.

2. Escurra el bulgur y póngalo en un bol con el pavo picado, la ralladura de naranja, la cebolla, el pimiento, la almendra y el estragón y salpimiente. Mézclelo todo bien y forme 4 hamburguesas. Tápelas y refrigérelas 1 hora.

3. Precaliente la barbacoa a temperatura media-fuerte. Pinte las hamburguesas con el aceite y áselas a la brasa 5 o 6 minutos por cada lado, o hasta que estén hechas.

4. Reparta unas hojas de lechuga entre 4 platos y coloque las hamburguesas encima. Condiméntelas con un poco de confitura de tomate y sírvalas enseguida con ensalada de tomate y cebolla.

PASO 1

PASO 2

PASO 3

EL ESTRAGÓN RECUERDA UN
POCO AL ANÍS (QUE SABE
A REGALIZ) Y COMBINA DE
MARAVILLA CON EL PAVO,
EL POLLO Y EL PESCADO.

HAMBURGUESAS DE BONIATO Y QUESO

PREP.: 10-12 min + refrigeración

COCCIÓN: 40-45 min

PARA 4-6 UNIDADES

450 g de boniatos (papas dulces) troceados

175 g de brécol (brócoli) en ramitos

2-3 dientes de ajo majados

1 cebolla roja picada o rallada

1^1/$_2$-2 guindillas (ajís picantes) rojas frescas sin pepitas y picadas

175 g de queso rallado

2 cucharadas de harina integral

2-3 cucharadas de aceite de girasol

4 cebollas en rodajas

1 cucharada de cilantro picado

sal y pimienta

1. Cueza el boniato en una cazuela de agua hirviendo con un poco de sal de 15 a 20 minutos, o hasta que esté tierno. Escúrralo y cháfelo. Cueza el brécol del mismo modo en una cazuela aparte 3 minutos, escúrralo y sumérjalo en agua fría. Escúrralo de nuevo y añádalo al boniato chafado.

2. Incorpore el ajo, la cebolla, la guindilla y el queso y salpimiente. Mézclelo bien, forme 6 hamburguesas y rebócelas con la harina. Tápelas y refrigérelas al menos 1 hora.

3. Caliente 1^1/$_2$ cucharadas del aceite en una sartén de base gruesa. Saltee la cebolla a fuego medio de 12 a 15 minutos, o hasta que se ablande. Incorpore el cilantro y resérvelo.

4. Precaliente la barbacoa. Pinte las hamburguesas con el aceite restante y áselas a la brasa 5 o 6 minutos por cada lado, o hasta que estén hechas.

5. Reparta el sofrito de cebolla sobre las hamburguesas y sírvalas enseguida.

PASO 1

PASO 2

PASO 2

ESTAS SABROSAS HAMBURGUE-
SAS ENCIERRAN TEXTURAS Y
SABORES VARIADOS. SI ES UN
AMANTE DEL QUESO, SÍRVALAS
CON UNA LONCHA DE HALLOUMI
CALIENTE ENCIMA.

HAMBURGUESAS TARTARE

PREP.: 20 min   COCCIÓN: 10 min

NO ES QUE LAS HAMBURGUESAS ESTÉN CRUDAS SINO QUE LA CARNE SE SAZONA CON LOS ACOMPAÑAMIENTOS TRADICIONALES DEL STEAK TARTARE PARA QUE QUEDE BIEN JUGOSA.

PARA 6 UNIDADES

- 6 pepinillos
- 2 cucharadas de alcaparras
- 1 cucharadita de pimienta verde en grano encurtida
- 2 yemas de huevo
- 1 cucharadita de sal
- 675 g de buey (vaca) recién picado
- 6 panecillos para hamburguesa o de barra abiertos
- 6 cucharadas de mayonesa

1. Precaliente el gratinador a la temperatura máxima. Coloque la rejilla de 5 a 8 cm del fuego.

2. Mientras tanto, pique bien los pepinillos, las alcaparras y la pimienta.

3. Ponga las yemas de huevo en un bol grande y bátalas un poco. Añada los pepinillos, las alcaparras, la pimienta y la sal y remueva. Incorpore el buey picado con suavidad. Divídalo en 4 porciones iguales y deles forma de hamburguesa.

4. Ponga las hamburguesas en una bandeja de horno grande, colóquela encima de la rejilla y áselas bajo el gratinador precalentado 4 minutos, hasta que chisporroteen y empiecen a dorarse. Deles la vuelta y áselas otros 4 minutos, o hasta que alcancen el punto deseado.

5. Mientras tanto, unte los panecillos con 1 cucharada de la mayonesa cada uno. Coloque las hamburguesas y sírvalas enseguida.

PASO 5

PASO 2

Si le gusta la comida picante, añada unas gotas de tabasco.

HAMBURGUESAS DE SALMÓN

PREP.: 15 min + refrigeración

COCCIÓN: 25-35 min

PARA 4-6 UNIDADES

300 g de patatas (papas) troceadas

450 g de filetes de salmón sin piel

175 g de hojas de espinaca

55 g de piñones tostados

2 cucharadas de ralladura fina de limón

1 cucharada de perejil picado

2 cucharadas de harina integral

200 ml de nata (crema) fresca espesa o yogur griego

1 trozo de pepino de 4 cm pelado y picado

2 cucharadas de aceite de girasol

sal y pimienta

4-6 panecillos de hamburguesa integrales abiertos

tomates (jitomates) cherry asados, para acompañar

1. Cueza la patata en una cazuela de agua hirviendo con un poco de sal entre 15 y 20 minutos, hasta que esté tierna. Escúrrala bien, cháfela y resérvela. Trocee el filete de salmón.

2. Reserve unas cuantas hojas de espinaca para servir y escalde las restantes en una cazuela de agua hirviendo 2 minutos. Escúrralas, estrújelas para retirar el agua y píquelas.

3. Ponga las espinacas en el robot de cocina o la batidora y añada el salmón, la patata, los piñones, 1 cucharada de la ralladura de limón y el perejil, y salpimiente. Triture los ingredientes en intervalos breves. Forme entre 4 y 6 hamburguesas iguales, tápelas y refrigérelas 1 hora. Rebócelas con la harina.

4. Mezcle la nata con el pepino y la ralladura de limón restante en un cuenco, tápelo y refrigérelo.

5. Precaliente la barbacoa. Pinte las hamburguesas con el aceite y áselas a la brasa de 4 a 6 minutos por cada lado, o hasta que estén hechas.

6. Reparta las espinacas reservadas entre la base de los panecillos, añada las hamburguesas y condiméntelas con un poco de salsa de pepino. Tápelas con la parte superior de los panecillos y sírvalas enseguida con tomates cherry asados.

El salmón, las espinacas y los piñones aportan color a estas hamburguesas. Estruje bien las espinacas escaldadas, de lo contrario las hamburguesas quedarían aguadas.

HAMBURGUESAS DE PAVO CON LIMÓN Y MENTA

PREP.: 10 min + refrigeración

COCCIÓN: 15 min

PARA 6 UNIDADES

450 g de pavo recién picado

1/2 cebolla pequeña rallada

la ralladura fina y el zumo (jugo) de 1 limón pequeño

1 diente de ajo picado

2 cucharadas de menta picada

1/2 cucharadita de pimienta

1 cucharadita de sal marina

1 huevo batido

1 cucharada de aceite de oliva

gajos de limón, para servir

1. Ponga todos los ingredientes excepto el aceite en un bol y mézclelos bien con un tenedor. Divídalo en 6 porciones iguales y deles forma de hamburguesa. Tápelas y refrigérelas al menos 1 hora o, mejor, toda la noche.

2. Caliente el aceite en una sartén grande de base gruesa. Fría las hamburguesas, por tandas si fuera necesario, a fuego medio-fuerte 4 o 5 minutos por cada lado, hasta que se doren y estén hechas.

3. Pase las hamburguesas a una fuente precalentada y sírvalas enseguida con gajos de limón para exprimir por encima.

KA-POW!

El pavo es más magro que el pollo y una opción excelente para mantener la línea. Sin pan y acompañadas de hortalizas asadas en lugar de patatas fritas, estas hamburguesas constituyen un plato principal muy saludable.

HAMBURGUESAS CON PASTRAMI

PREP.: 15 min   COCCIÓN: 10 min

AUNQUE SE DESCONOCE EL ORIGEN DE ESTAS COMPLETAS HAMBURGUESAS, POR ALGÚN MOTIVO HAN ARRAIGADO EN SALT LAKE CITY, ESTADOS UNIDOS.

PARA 4 UNIDADES

450 g de buey (vaca) recién picado

1 cucharadita de sal

½ cucharadita de pimienta

1 cucharada de mantequilla

4 lonchas de queso

4 panecillos de hamburguesa con sésamo abiertos

50 ml de salsa Thousand Island envasada (salsa rosa condimentada con hortalizas picadas)

lechuga en juliana

225 g de pastrami en lonchas

1. Ponga el buey picado en un bol mediano con la sal y la pimienta y mézclelo con suavidad. Divídalo en 4 porciones iguales y deles forma de hamburguesa.

Precaliente una plancha estriada o una sartén grande a fuego medio-fuerte. Eche la mantequilla y caliéntela hasta que deje de espumar. Ase las hamburguesas unos 4 minutos, sin tocarlas, hasta que se doren y se desprendan fácilmente de la plancha. Deles la vuelta y áselas 2 minutos por el otro lado. Ponga una loncha de queso sobre cada una y déjelas en el fuego 3 minutos más, o hasta que alcancen el punto deseado.

3. Reparta los panecillos abiertos entre 4 platos. Úntelos con la salsa y reparta la lechuga entre las bases. Coloque las hamburguesas, el pastrami y la parte superior de los panecillos. Sírvalas enseguida.

PASO 1

PASO 2

PASO 2

CONDIMENTE ESTAS DELICIOSAS
HAMBURGUESAS CON MOSTAZA
(VÉASE LA PÁGINA 174) O, SI
PREFIERE UN TOQUE PICANTE,
MOSTAZA AL CHIPOTLE
(VÉASE LA PÁGINA 180).

HAMBURGUESAS DE CANGREJO

PREP.: 25 min + refrigeración

COCCIÓN: menos de 15 min

EN MARYLAND, LAS TORTITAS DE CANGREJO EXTRAGRANDES SUELEN SERVIRSE CON LECHUGA Y TOMATE, COMO SI FUERAN HAMBURGUESAS.

PARA 6 UNIDADES

450 g de carne de cangrejo

150 ml de mayonesa

1 cucharada de perejil picado

1 cucharadita de Old Bay u otro sazonador para marisco envasado

1 cucharadita de salsa Worcestershire

1 cucharadita de mostaza molida

$^1/_2$ cucharadita de sal

$^1/_4$ de cucharadita de pimienta

1 huevo

30 g de pan rallado

2 cucharadas de mantequilla

6 panecillos de hamburguesa abiertos

rodajas de tomate (jitomate)

lechuga en juliana

Salsa tártara (véase la página 182) y gajos de limón, para servir

1. Ponga la carne de cangrejo en un bol mediano y añada la mayonesa, el perejil, el sazonador para marisco, la salsa Worcestershire, la mostaza, la sal, la pimienta y el huevo. Mézclelo con suavidad e incorpore el pan rallado poco a poco. Refrigérelo al menos 30 minutos.

2. Divídalo en 6 porciones iguales y deles forma de hamburguesa.

3. Caliente una plancha estriada o una sartén a fuego medio, eche la mantequilla y caliéntela hasta que deje de espumar, removiendo para que se extienda por toda la superficie. Ase las hamburguesas 6 o 7 minutos por cada lado, hasta que se doren.

4. Reparta las hamburguesas entre la base de los panecillos, añada el tomate y la lechuga y condiméntelas con salsa tártara. Tápelas con la parte superior de los panecillos y sírvalas con gajos de limón.

Si desea preparar el sazonador Old Bay en casa, muela y
mezcle 1 cucharada de cada
de semillas de apio, pimienta
negra en grano y pimentón
dulce; $\frac{1}{2}$ cucharadita de cada
de semillas de cardamomo y
de mostaza; $\frac{1}{4}$ de cucharadita
de macis; 4 clavos, y 6 hojas
de laurel.

HAMBURGUESAS CON SALSA ROSA

PREP.: 20 min + refrigeración

COCCIÓN: 10 min

LAS MEJORES HAMBURGUESAS SE PREPARAN CON CARNE RECIÉN PICADA, NO IMPORTA SI ES CON EL ROBOT DE COCINA EN LUGAR DE MOLINILLO.

PARA 4 UNIDADES

450 g de aguja, redondo o costillas sin hueso de buey (vaca), o una combinación de estos cortes con al menos un 20% de grasa

1 cucharadita de sal

1/2 cucharadita de pimienta

4 panecillos de hamburguesa abiertos

4 lonchas de queso

2 cucharadas de mayonesa

2 cucharadas de kétchup

hojas de lechuga

rodajas de tomate (jitomate)

1. Precaliente una plancha a temperatura media-fuerte. Trocee la carne en dados de 2,5 cm, póngala en un plato, tápela con film transparente y refrigérela unos 30 minutos.

2. Ponga la mitad de la carne en el robot de cocina o la batidora. Tritúrela en unos 15 intervalos breves. Sazone la carne picada con la mitad de la sal y de la pimienta y tritúrela en intervalos breves de 10 a 15 veces más, hasta que esté bien picada pero no deshecha. Sáquela del robot y repita la operación con la carne restante. Divida la carne picada en 4 porciones iguales y deles forma de hamburguesa.

3. Ase las hamburguesas a la plancha hasta que se doren y alcancen el punto deseado, 3 minutos por cada lado si le gustan poco hechas y 4 si le gustan en su punto. Disponga una loncha de queso sobre cada hamburguesa en los 2 últimos minutos de cocción.

4. Mientras tanto, mezcle la mayonesa con el kétchup en un cuenco. Unte los panecillos con la salsa rosa y añada las hamburguesas, la lechuga y el tomate. Sírvalas enseguida.

KA-POW!

PASO 1

PASO 2

PASO 4

PARA QUE LAS HAMBURGUESAS QUEDEN AUTÉNTICAS, SÍRVALAS POCO HECHAS.

HAMBURGUESAS AHUMADAS

PREP.: 25 min   COCCIÓN: 10 min

LA CEBOLLA, REHOGADA A FUEGO LENTO HASTA QUE SE DORA Y ADQUIERE UN PUNTO DULCE, ES EL ACOMPAÑAMIENTO IDEAL DE TODO TIPO DE HAMBURGUESAS.

PARA 4 UNIDADES

astillas de madera, para ahumar

450 g de buey (vaca) recién picado

1 cucharadita de sal

1/2 cucharadita de pimienta

4 lonchas de gouda ahumado

4 brioches abiertos

SALSA DE HIGOS

Cebolla caramelizada (véase la página 202)

75 g de confitura de higos

1 cucharada de vinagre de vino tinto

1 cucharada de salsa de soja

1 cucharadita de salsa Worcestershire

pimienta

1. Ponga las astillas en remojo 10 minutos como mínimo.

2. Para preparar la salsa, ponga la cebolla caramelizada, la confitura, el vinagre, la salsa de soja, la salsa Worcestershire y pimienta al gusto en una cazuela. Llévelo a ebullición y cuézalo un par de minutos, hasta que se espese. Resérvela.

3. Ponga el buey picado en un bol con la sal y la pimienta y mézclelo con suavidad. Divídalo en 4 porciones iguales y deles forma de hamburguesa.

4. Si dispone de una barbacoa de gas, envuelva las astillas con papel de aluminio en forma de paquete, dejando los extremos abiertos para que salga el humo. Retire la parrilla, ponga el paquete de astillas sobre un quemador lateral y encienda el fuego al máximo. Baje los otros quemadores a temperatura media o baja, tape la barbacoa y precaliéntela a 200°C.

5. Si dispone de una barbacoa de carbón, precaliéntela a temperatura media-fuerte. Junte las brasas a un lado y ponga las astillas encima.

6. Cuando la madera empiece a humear, coloque las hamburguesas en el otro extremo de la parrilla. Tápelas y áselas unos 4 minutos, hasta que se doren, deles la vuelta y hágalas por el otro lado. Transcurridos 2 minutos, coloque el queso encima y áselas otros 2 minutos, o hasta que se doren y alcancen el punto deseado.

7. Rellene los brioches con las hamburguesas y condiméntelas con un poco de salsa de higos. Sírvalas enseguida.

HAMBURGUESAS CON BEICON Y ESPÁRRAGOS

PREP.: 12 min + refrigeración

COCCIÓN: 15 min

PARA 4-6 UNIDADES

225 g de beicon (panceta) en lonchas

450 g de buey (vaca) recién picado

1 cebolla rallada

2-4 dientes de ajo majados

1-2 cucharadas de aceite de girasol

sal y pimienta

hojas de lechuga

4-6 panecillos de hamburguesa abiertos

rodajas de tomate (jitomate)

SALSA DE ESPÁRRAGOS

175 g de espárragos trigueros tiernos

1 cucharada de zumo (jugo) de limón

1 aguacate (palta) pequeño maduro pelado, sin hueso y picado

2 tomates (jitomates) consistentes pelados, sin pepitas y picados

150 ml de nata (crema) fresca espesa o yogur griego

sal y pimienta

1. Retire la corteza del beicon y píquelo bien.

2. Ponga el beicon, el buey picado, la cebolla y el ajo en un bol grande, salpimiente y mézclelo bien. Forme entre 4 y 6 hamburguesas iguales, tápelas y refrigérelas 30 minutos.

3. Para preparar la salsa, retire la parte leñosa de los espárragos y cueza las yemas en una cazuela de agua hirviendo con un poco de sal 5 minutos. Escúrralas y refrésquelas con agua fría. Cuando se hayan enfriado, escúrralas y reserve 4 para servir. Pique bien las yemas de espárrago restantes y póngalas en un bol. Rocíe el aguacate con el zumo de limón. Incorpore el aguacate, el tomate y la nata a los espárragos picados. Salpimiente la salsa, tápela y refrigérela hasta que vaya a servirla.

4. Precaliente la barbacoa. Pinte las hamburguesas con el aceite y áselas a la brasa 3 o 4 minutos por cada lado, o hasta que alcancen el punto deseado.

5. Reparta la lechuga entre la base de los panecillos y coloque las hamburguesas encima. Añada una rodaja de tomate, una yema de espárrago y una cucharada de salsa sobre cada una. Tape las hamburguesas con la parte superior de los panecillos y sírvalas enseguida.

La tradicional hamburguesa con beicon, lechuga y tomate se acompaña en esta ocasión de salsa de espárragos. Si va a preparar alguna salsa, hágalo al menos con 30 minutos de antelación para que los sabores se entremezclen bien.

HAMBURGUESAS CON CHAMPIÑONES AL AJILLO

PREP.: 25 min   COCCIÓN: 25 min

EN ESTAS DELICIOSAS HAMBURGUESAS, LOS CHAMPIÑONES SALTEADOS AÑADEN UN PUNTO SOFISTICADO A LA CARNE PICADA DE BUEY.

PARA 4 UNIDADES

1 cucharada de aceite de oliva virgen extra, y un poco más para asar

1 diente de ajo picado

1/2 cucharadita de romero o tomillo fresco picado

225 g de champiñones sin los pies y picados

450 g de buey (vaca) recién picado

4 lonchas de cheddar

1/2 cucharadita de sal

1/4 de cucharadita de pimienta

4 brioches abiertos

mantequilla ablandada, para untar

sal y pimienta

1. Caliente el aceite a fuego medio en una sartén grande. Saltee el ajo y el romero 30 segundos, hasta que desprendan su aroma. Añada los champiñones y remueva 1 minuto, hasta que se impregnen bien del aceite. Salpimiente, baje un poco el fuego y prosiga con la cocción 15 minutos más, removiendo a menudo, hasta que el líquido se evapore y los champiñones estén tiernos y secos.

2. Ponga los champiñones en un bol mediano y déjelos enfriar. Añada el buey picado, 1/2 cucharadita de sal y 1/4 de cucharadita de pimienta. Remueva con suavidad, divídalo en 4 porciones iguales y deles forma de hamburguesa.

3. Caliente de nuevo la sartén a fuego medio-fuerte. Eche aceite suficiente para cubrir la base. Ase las hamburguesas unos 4 minutos, hasta que se doren y se desprendan fácilmente de la sartén. Deles la vuelta y áselas 2 minutos por el otro lado. Ponga una loncha de queso sobre cada una y déjelas al fuego un par de minutos más, o hasta que alcancen el punto deseado.

4. Unte los brioches con mantequilla, coloque las hamburguesas y sírvalas enseguida.

PASO 1

PASO 2

PASO 3

ESTA RECETA ESTÁ INSPIRADA EN LA «DUXELLES», UN RELLENO DE ORIGEN FRANCÉS. PARA DARLE UN TOQUE MÁS AUTÉNTICO, AÑÁDALE CHALOTE PICADO Y, PARA GANAR CREMOSIDAD, UN POCO DE NATA.

HAMBURGUESAS A LA TRUFA

PREP.: 10 min   **COCCIÓN: 20 min**

ESTAS HAMBURGUESAS SE SIRVEN CON ACEITE DE TRUFA Y UN CHIP DE PARMESANO SOBRE UN TROZO DE FOCACCIA.

PARA 4 UNIDADES

450 g de buey (vaca) recién picado

175 g de parmesano recién rallado

1/2 cucharadita de sal

1/2 cucharadita de pimienta

4 porciones de focaccia, de unos 15 cm, abiertas

1 cucharadita de aceite de trufa blanca

1. Precaliente el gratinador a la temperatura máxima. En un bol grande, mezcle el buey picado con 55 g del parmesano, la sal y la pimienta. Divídalo en 4 porciones iguales y deles forma de hamburguesa. Resérvelas en la bandeja del horno.

2. Caliente una sartén antiadherente pequeña a fuego medio. Amontone una cuarta parte del queso restante en la sartén y caliéntelo hasta que se derrita y quede aplanado. Retire el chip con una espátula y resérvelo en un plato para que se enfríe y se endurezca. Repita la operación con el parmesano restante hasta obtener 4 chips.

3. Ase las hamburguesas bajo el gratinador precalentado unos 4 minutos, hasta que chisporroteen y empiecen a dorarse por arriba. Deles la vuelta y áselas otros 4 minutos, hasta que se doren y alcancen el punto deseado.

4. Coloque las hamburguesas sobre la base de las porciones de focaccia y rocíelas con 1/4 de cucharadita del aceite de trufa cada una. Añada los chips de parmesano y sírvalas enseguida.

LOS CHIPS DE PARMESANO TAMBIÉN PUEDEN PREPARARSE AL HORNO, SOBRE UNA LÁMINA DE SILICONA ANTIADHERENTE, O EN EL MICROONDAS. PROCURE NO AMONTONAR DEMASIADO EL QUESO Y DEJE ESPACIO SUFICIENTE ENTRE LAS PORCIONES PARA QUE SE EXTIENDA AL DERRETIRSE.

HAMBURGUESAS DE PESCADO Y POLENTA

PREP.: 15 min + reposo y refrigeración

COCCIÓN: 18-20 min

Condimentadas con albahaca y parmesano, estas hamburguesas de pescado son muy sabrosas. La polenta, que aglutina todos los ingredientes, se prepara en un momento.

PARA 4-6 UNIDADES

- 300 ml de agua
- 225 g de polenta instantánea
- 450 g de pescado blanco sin piel
- 1 cucharada de albahaca picada
- 55 g de parmesano recién rallado
- 2 cucharadas de harina
- 1-2 cucharadas de aceite de oliva
- sal y pimienta
- Alioli (véase la página 192)
- 4-6 rebanadas de chapata
- hojas tiernas de espinaca y hortalizas asadas, para acompañar

1. Lleve el agua a ebullición en una cazuela. Eche la polenta poco a poco de manera continua y cuézala a fuego lento, sin dejar de remover, 5 minutos o según las indicaciones del envase, hasta que se espese. Déjela enfriar unos 10 minutos.

2. Ponga la polenta, el pescado, la albahaca y el parmesano en el robot de cocina o la batidora, salpimiente y tritúrelo en intervalos breves hasta que quede bien mezclado. Forme entre 4 y 6 hamburguesas iguales y rebócelas con la harina. Tápelas y refrigérelas 1 hora.

3. Precaliente la barbacoa. Pinte las hamburguesas con el aceite y áselas a la brasa 4 o 5 minutos por cada lado, o hasta que estén hechas.

4. Coloque un hamburguesa sobre cada rebanada de chapata y condiméntelas con una cucharada de alioli cada una. Sírvalas enseguida con espinacas y hortalizas asadas.

La polenta instantánea es un tipo de harina de maíz originaria de Italia. Si lo prefiere, sustitúyala por harina de maíz y prepárela según las indicaciones del envase.

HAMBURGUESAS DE PAVO AL GORGONZOLA

PREP.: 10 min   COCCIÓN: 10 min

OLVÍDESE DE LAS HAMBURGUESAS DE PAVO INSÍPIDAS Y PREPARE LAS DE ESTA RECETA CON QUESO AZUL Y PIMIENTA; SON TAN JUGOSAS Y SABROSAS QUE NO NECESITAN GUARNICIÓN.

PARA 4 UNIDADES

2 chalotes (echalotes) picados

1/2 cucharadita de sal

1/2 cucharadita de pimienta

55 g de gorgonzola u otro queso azul desmenuzado

450 g de pavo recién picado

4 panecillos abiertos

1. Precaliente una plancha a temperatura media-fuerte. Mezcle el chalote con la sal, la pimienta y el queso en un bol. Añada el pavo picado y desmenúcelo con suavidad mientras lo mezcla con los demás ingredientes.

2. Divídalo en 4 porciones iguales y deles forma de hamburguesa.

3. Ase las hamburguesas a la plancha unos 4 minutos por cada lado, hasta que estén hechas. Rellene los panecillos con las hamburguesas y sírvalas enseguida.

Si no le gusta la cremosidad del gorgonzola, sustitúyalo por Roquefort u otro tipo de queso azul.

HAMBURGUESAS CON SETAS

PREP.: 10 min   **COCCIÓN:** menos de 10 min

LOS BOLETOS SECOS BIEN MOLIDOS DESPRENDEN UN AROMA DELICADO Y CONDIMENTAN A LA PERFECCIÓN LA CARNE PICADA.

PARA 4 UNIDADES

½ taza de boletos deshidratados

2 cucharadas de aceite de oliva, y un poco más para pintar

1 cucharadita de sal

½ cucharadita de pimienta

450 g de buey (vaca) recién picado

55 g de gruyer rallado

4 brioches abiertos

4 cucharaditas de mantequilla ablandada

Cebolla caramelizada (véase la página 202)

1. Muela bien los boletos en un molinillo de especias o un molinillo de café bien limpio. Debería obtener unas 2 cucharadas. Ponga los boletos molidos en un bol con el aceite, la sal y la pimienta y remueva hasta que se disuelva la sal. Si fuera necesario, añada hasta 2 cucharaditas de agua para diluir la pasta. Añada el buey picado, mézclelo con suavidad, divídalo en 4 porciones iguales y deles forma de hamburguesa.

2. Precaliente una plancha estriada o una sartén a fuego medio-fuerte y píntela con aceite. Eche las hamburguesas y tápelas. Áselas 4 minutos por cada lado, hasta que se doren. Transcurridos 2 minutos, reparta el queso por encima y áselas otros 2 minutos, o hasta que se doren y alcancen el punto deseado.

3. Unte los panecillos con mantequilla, rellénelos con las hamburguesas y la cebolla caramelizada y sírvalas enseguida.

HAMBURGUESAS CON SAL AHUMADA

PREP.: *30 min*   **COCCIÓN:** *20 min*

CON SAL AROMATIZADA, LAS HAMBURGUESAS GANAN SABOR DE UNA FORMA SENCILLA Y RÁPIDA. AQUÍ, LA SAL AHUMADA APORTA UN TOQUE MUY CARACTERÍSTICO AFÍN CON EL DE LAS HORTALIZAS ASADAS.

PARA 6 UNIDADES

2 calabacines pequeños

2 tomates (jitomates)

6 rebanadas de pan de hogaza

2 cucharadas de aceite de oliva, y un poco más para rociar

675 g de buey (vaca) recién picado

1½ cucharaditas de sal ahumada, y un poco más al gusto

1. Precaliente el gratinador a la temperatura máxima. Despunte los calabacines y córtelos a lo largo en láminas de 1 cm de grosor. Debería obtener 12 láminas en total.

2. Retire la parte superior e inferior de los tomates y córtelos en rodajas gruesas a lo ancho.

3. Pinte el calabacín, el tomate y el pan con el aceite.

4. Mezcle el buey picado con la sal ahumada en un bol. Divídalo en 4 porciones iguales y deles forma de hamburguesa.

5. Ponga las hortalizas y el pan en la rejilla del gratinador. Gratínelo unos 3 minutos por cada lado, hasta que se marquen las líneas de la rejilla y el calabacín esté tierno. Retírelo del fuego y sazónelo con sal ahumada.

6. Ase las hamburguesas bajo el gratinador unos 4 minutos por cada lado, o hasta que alcancen el punto deseado. Ponga una hamburguesa sobre cada rebanada de pan y sazónela con sal ahumada al gusto. Añada dos láminas de calabacín y un par de rodajas de tomate sobre cada una. Rocíe las hortalizas con aceite y sirva las hamburguesas enseguida.

ENCONTRARÁ SAL AHUMADA
EN ESTABLECIMIENTOS ESPE-
CIALIZADOS, PERO TAMBIÉN
PUEDE PREPARARLA EN CASA.
HAY MÉTODOS PARA HA-
CERLA EN LA BARBACOA, EL
FOGÓN, EL GRATINADOR O
INCLUSO EL WOK.

HAMBURGUESAS RELLENAS DE QUESO AZUL

PREP.: 20 min   COCCIÓN: 10 min

EN LUGAR DE CEBOLLA CRUDA, PRUEBE ESTAS HAMBURGUESAS RELLENAS DE QUESO CON CONFITURA DE HIGOS (VÉASE LA PÁGINA 94).

PARA 4 UNIDADES

550 g de buey (vaca) recién picado

1 cucharadita de sal

1/2 cucharadita de pimienta

55-85 g de queso azul en 4 trozos

aceite vegetal, para asar

4 brioches abiertos

hojas de lechuga

rodajas de tomate (jitomate)

rodajas de cebolla roja

1. Ponga el buey picado en un bol mediano con la sal y la pimienta y mézclelo con suavidad. Divídalo en 4 porciones iguales y deles forma de bolitas. Con la punta del dedo, haga una hendidura en cada porción y rellénelas con un trozo de queso cada una. Presiónelas para encerrar el relleno y aplánelas en forma de hamburguesas de 1 cm de grosor aproximadamente.

2. Caliente una sartén antiadherente grande o una plancha estriada a fuego medio-fuerte. Eche aceite suficiente para cubrir la base y ase las hamburguesas 4 o 5 minutos por cada lado, hasta que se doren y estén hechas (puede que el queso rezume un poco).

3. Rellene los brioches con las hamburguesas, lechuga, tomate y cebolla y sírvalas enseguida.

PASO 1

PASO 2

PASO 3

ESTAS HAMBURGUESAS SON ESPECTACULARES, SOBRE TODO PARA LOS AMANTES DEL QUESO AZUL. CON ELLAS SORPRENDERÁ A SUS INVITADOS CUANDO CELEBRE UNA BARBACOA O UNA COMIDA ESPECIAL.

HAMBURGUESAS A LA PIMIENTA

PREP.: 25 min **COCCIÓN: 20 min**

La textura tierna de la ternera picada se realza con cuatro variedades de pimienta. El chalote rehogado y el punto picante de la rúcula se encargan del resto.

PARA 4 UNIDADES

3 chalotes (echalotes)

2 cucharadas de aceite de oliva

450 g de ternera recién picada

1 cucharadita de sal

$1/2$ cucharadita de una mezcla de pimienta negra, blanca, verde y rosa en grano

4 porciones de focaccia, de unos 15 cm, abiertas

1 buen puñado de rúcula

1. Pele los chalotes, córtelos en rodajas finas y sepárelos en aros. Caliente el aceite a fuego fuerte en una sartén grande hasta que esté reluciente y eche el chalote, que empezará a chisporrotear enseguida. Rehóguelo unos 10 minutos, removiendo de vez en cuando, hasta que se dore bien. Sáquelo con una espumadera o unas pinzas y déjelo escurrir sobre papel de cocina. Reserve la sartén con el aceite.

2. Ponga la ternera picada en un bol grande y salpiméntela. Desmenuce la carne al tiempo que la mezcla con los condimentos. Divídala en 4 porciones iguales y deles forma de hamburguesa.

3. Deseche casi todo el aceite de la sartén reservada y devuélvala al fuego. Caliéntela a fuego medio-fuerte y ase las hamburguesas 4 minutos por cada lado, hasta que se doren y alcancen el punto deseado.

4. Ponga una hamburguesa sobre la parte inferior de las porciones de focaccia, disponga el chalote y unas hojas de rúcula y sírvalas enseguida.

PASO 3

PASO 1

SI LO PREFIERE, SUSTITUYA LA
TERNERA PICADA POR POLLO,
PAVO O CORDERO.

113

BOCADILLOS DE CHAMPIÑONES Y MOZZARELLA

PREP.: 10 min   COCCIÓN: 15 min

ESTOS BOCADILLOS VEGETARIANOS LLEVAN CHAMPIÑONES MARINADOS Y MOZZARELLA AL PESTO ENTRE DOS TROZOS DE FOCACCIA.

PARA 4 UNIDADES

4 cucharaditas de aceite de oliva

2 cucharaditas de vinagre de vino tinto

1 diente de ajo picado

4 champiñones grandes, solo los sombrerillos

4 lonchas de mozzarella vegana fresca

4 porciones de focaccia, de unos 15 cm, abiertas

50 ml de pesto

rodajas de tomate (jitomate)

rúcula tierna

sal y pimienta

1. Precaliente el gratinador a temperatura fuerte y el horno a 160 ºC. Bata el aceite con el vinagre y el ajo en un cuenco. Ponga los champiñones, con las láminas hacia arriba, en la bandeja del horno, rocíelos con la vinagreta y salpimiéntelos.

2. Áselos bajo el gratinador precalentado de 5 a 8 minutos, hasta que estén tiernos. Ponga una loncha de queso sobre cada uno y gratínelo un par de minutos, hasta que burbujee. Mientras tanto, ponga la focaccia en la rejilla del horno y caliéntela en la parte baja 5 minutos.

3. Unte la focaccia con un poco de pesto y, después, añada los champiñones. Agregue unas rodajas de tomate y unas hojas de rúcula y sirva los bocadillos enseguida.

Si además elige un queso que no contenga cuajo animal, podrá servir este bocadillo a sus invitados vegetarianos.

CAPÍTULO 3
INTERNACIONALES

MINIHAMBURGUESAS ESTADOUNIDENSES

PREP.: 15 min   **COCCIÓN: 7 min**

ESTAS MINIHAMBURGUESAS RECIBEN EL NOMBRE DE «SLIDERS» (DESLIZANTES) POR SU FORMA DE MOVERSE POR EFECTO DEL VAIVÉN AL SERVIRLAS EN LA CANTINA DE LOS BARCOS DE LA MARINA ESTADOUNIDENSE.

PARA 12 UNIDADES

450 g de buey (vaca) recién picado

1 cucharadita de sal

1/2 cucharadita de pimienta

1-2 cucharaditas de mantequilla

85 g de cheddar en cuadrados de 5 cm

12 panecillos pequeños para hamburguesa abiertos

1. Ponga el buey picado en un bol mediano con la sal y la pimienta y mézclelo con suavidad. Divídalo en 12 porciones iguales y deles forma de hamburguesa.

2. Precaliente una plancha estriada o una sartén a fuego medio-fuerte. Eche mantequilla suficiente para cubrir la superficie, extendiéndola con una espátula. Ase las hamburguesas 3 minutos por cada lado, hasta que se doren y, después, deles la vuelta y añada el queso por encima. Prosiga con la cocción 2 o 3 minutos más, o hasta que se doren y alcancen el punto deseado.

3. Rellene los panecillos con las hamburguesas y sírvalas enseguida.

KA-BOOM!!

PASO 1

PASO 2

PASO 2

LAS MINIHAMBURGUESAS SON
IDEALES COMO APERITIVO.
SI VA A PREPARAR MUCHAS, ELI-
JA DISTINTOS TIPOS DE CARNE
PARA PROBAR SABORES
Y TEXTURAS DIFERENTES.

HAMBURGUESAS JAMAICANAS DE POLLO

PREP.: 25 min

COCCIÓN: 20 min

EL ADOBO AL ESTILO JAMAICANO TRANSFORMA POR COMPLETO EL SABOR DEL POLLO DE ESTAS HAMBURGUESAS.

PARA 4 UNIDADES

- 1 cucharadita de azúcar moreno
- 1 cucharadita de jengibre molido
- $1/2$ cucharadita de pimienta de Jamaica molida
- $1/2$ cucharadita de tomillo
- $1/2$-1 cucharadita de cayena
- 1 cucharada de zumo (jugo) de lima (limón)
- 2 dientes de ajo majados
- $1/2$ cucharadita de sal
- $1/2$ cucharadita de pimienta
- 450 g de pollo picado
- 1 cucharada de aceite vegetal
- 1 pimiento (chile) rojo o amarillo sin pepitas troceado
- 1 cucharadita de aceite de oliva
- 1 cucharadita de vinagre de vino tinto
- 4 panecillos para hamburguesa con cebolla abiertos
- hojas de lechuga
- sal y pimienta

1. Mezcle en un bol el azúcar con el jengibre, la pimienta de Jamaica, el tomillo, la cayena, el zumo de lima, el ajo, la sal y la pimienta. Añada el pollo picado y mézclelo con suavidad. Divídalo en 4 porciones iguales y deles forma de hamburguesa.

2. Precaliente una plancha estriada a fuego medio-fuerte y vierta el aceite. Ase el pimiento unos 5 minutos, dándole la vuelta a menudo, hasta que se ennegrezca. Póngalo en un bol, tápelo con film transparente o un plato y déjelo reposar 5 minutos. Pélelo y córtelo en tiras. Alíñelo con el aceite y el vinagre y salpimiéntelo.

3. Ase las hamburguesas a la plancha, tapadas, unos 5 minutos por cada lado, hasta que estén doradas y hechas. Rellene los panecillos con las hamburguesas, la lechuga y el pimiento. Sírvalas enseguida.

HAMBURGUESAS LONDINENSES

PREP.: 10 min **COCCIÓN: 20 min**

FRÍA LOS HUEVOS A SU GUSTO, AUNQUE SI LA YEMA QUEDA ALGO LÍQUIDA DISFRUTARÁ DE LA MEJOR SALSA POSIBLE PARA ESTAS HAMBURGUESAS.

PARA 4 UNIDADES

450 g de buey (vaca) recién picado

2 cucharadas de salsa Worcestershire

4 bollos ingleses o panecillos

4 cucharadas de mantequilla

2 cucharaditas de aceite vegetal

4 huevos

$\frac{1}{2}$ cucharadita de sal

$\frac{1}{2}$ cucharadita de pimienta

1. Mezcle el buey picado con la mitad de la salsa Worcestershire en un bol grande. Divídalo en 4 porciones iguales, deles forma de hamburguesas 1 cm más anchas que los bollos y haga una hendidura en la parte central de cada una.

2. Parta los bollos por la mitad y úntelos con la mantequilla.

3. Caliente una sartén grande a fuego medio-fuerte. Tueste las dos mitades de los bollos en la sartén, con la parte untada hacia abajo, unos 2 minutos. Repártalos entre 4 platos.

4. En la misma sartén, ase las hamburguesas unos 4 minutos, hasta que se doren. Deles la vuelta y áselas otros 4 minutos, o hasta que se doren y alcancen el punto deseado. Repártalas entre la base de los bollos y rocíelas con la salsa Worcestershire restante.

5. Ponga el aceite en la sartén y gírela para que se impregne bien. Casque los huevos y salpiméntelos. Tápelos y fríalos unos 3 minutos, hasta que la clara cuaje y la yema comience a endurecerse por los bordes. Disponga los huevos fritos sobre las hamburguesas y añada la parte superior de los bollos. Sírvalas enseguida.

ESTAS HAMBURGUESAS TAMBIÉN
PUEDEN TOMARSE COMO DESA-
YUNO. SI ADEMÁS LAS ACOM-
PAÑA DE BEICON CRUJIENTE Y
KÉTCHUP (VÉASE LA PÁGINA 170)
COMENZARÁ EL DÍA CON MUCHA
ENERGÍA.

HAMBURGUESAS MARROQUÍS

PREP.: 20 min + reposo   **COCCIÓN: 12 min**

PARA 4 UNIDADES

550 g de cordero recién picado

1 cebolla rallada

1 cucharadita de salsa harissa

1 diente de ajo majado

2 cucharadas de menta picada

1/2 cucharadita de semillas de comino machacadas

1/2 cucharadita de pimentón dulce

aceite, para untar

sal y pimienta

4 panes de pita calientes

rodajas de cebolla roja

lechuga en juliana

SALSA DE YOGUR Y PEPINO

1/2 pepino grande

4 cucharadas de yogur

6 cucharadas de menta picada

sal

1. Para preparar la salsa, pele el pepino, córtelo en cuatro trozos a lo largo y retire las pepitas. Píquelo y póngalo en un colador sobre un bol. Sálelo, tápelo con un plato y ponga encima una lata de conserva como peso. Déjelo sudar 30 minutos y, después, mézclelo con los ingredientes restantes.

2. Mezcle el cordero picado con la cebolla, la salsa harissa, el ajo, la menta, el comino y el pimentón. Salpimiente y mézclelo bien con un tenedor. Divídalo en 4 porciones iguales y aplánelas en forma de hamburguesas de unos 2,5 cm de grosor. Tápelas y déjelas reposar 30 minutos a temperatura ambiente.

3. Precaliente la barbacoa. Unte las hamburguesas con un poco de aceite. Pinte la parrilla con aceite. Ase las hamburguesas a la brasa 5 o 6 minutos por cada lado, o hasta que estén hechas.

4. Rellene los panes de pita calientes con las hamburguesas y añada un poco de cebolla y de lechuga y una cucharada de la salsa. Sírvalas enseguida.

HAMBURGUESAS AUSTRALIANAS

PREP.: 20 min

COCCIÓN: menos de 12 min

A LOS AUSTRALIANOS LES ENCANTAN LAS HAMBURGUESAS CON REMOLACHA. LA PIÑA ASADA Y LOS HUEVOS FRITOS TAMBIÉN SON TÍPICOS DE AQUEL CONTINENTE Y SATISFARÁN LOS APETITOS MÁS VORACES.

PARA 4 UNIDADES

450 g de buey (vaca) recién picado

1 cucharadita de sal

1/2 cucharadita de pimienta

4 rodajas de piña (ananás) en conserva

2-3 cucharaditas de aceite vegetal, para pintar y freír

4 huevos

mayonesa, para untar

4 panecillos tiernos para hamburguesa abiertos

4-8 rodajas de remolacha (betarraga) encurtida

hojas de lechuga

rodajas de tomate (jitomate)

sal y pimienta

1. Ponga el buey picado en un bol mediano con 1 cucharadita de sal y 1/2 de pimienta. Mézclelo con suavidad, divídalo en 4 porciones iguales y deles forma de hamburguesa.

2. Precaliente una plancha estriada a fuego medio-fuerte y añada 1 cucharadita de aceite. Pinte la piña con un poco de aceite y póngala en la plancha con las hamburguesas. Tápelo y ase la piña 3 minutos por cada lado, hasta que esté tierna y marcada con las estrías de la plancha, y las hamburguesas unos 4 minutos por cada lado, hasta que se doren y alcancen el punto deseado. Retírelo del fuego y resérvelo caliente.

3. Vierta aceite suficiente en la sartén para cubrir la superficie y gírela para que se impregne bien. Casque los huevos y salpimiéntelos. Tápelos y fríalos unos 3 minutos, hasta que la clara cuaje y la yema comience a endurecerse por los bordes.

4. Unte ambas mitades de los panecillos con mayonesa. Reparta las rodajas de piña entre las bases y ponga sobre cada una una hamburguesa, un huevo frito, un par de rodajas de remolacha, una hoja de lechuga y una rodaja de tomate. Añada la parte superior de los panecillos y sírvalas.

PASO 3

PASO 4

ESTA HAMBURGUESA GIGAN-
TESCA TAMBIÉN SUELE LLEVAR
BEICON Y QUESO. CON TODOS
ESTOS INGREDIENTES LE HARÁ
FALTA MUCHA PERICIA PARA QUE
NO SE LE DESMONTE.

HAMBURGUESAS DE CERDO CAJÚN A LA BRASA

PREP.: 20 min + refrigeración

COCCIÓN: 35-45 min

PARA 4-6 UNIDADES

225 g de boniatos troceados

450 g de cerdo recién picado

1 manzana pelada, sin corazón y rallada

2 cucharaditas de especias cajún

4 cebollas

1 cucharada de cilantro picado

2 cucharadas de aceite de girasol

8-12 lonchas de beicon (panceta)

sal y pimienta

1. Cueza el boniato en una cazuela de agua hirviendo con un poco de sal de 15 a 20 minutos, hasta que al pincharlo con un tenedor se note blando. Escúrralo, cháfelo y resérvelo.

2. Ponga el cerdo picado en un bol y añada el boniato chafado, la manzana rallada y las especias cajún. Ralle 1 cebolla y añádala al cerdo picado con el cilantro, y salpimiente. Mézclelo todo bien y forme 6 hamburguesas. Tápelas y refrigérelas 1 hora.

3. Corte las cebollas restantes en rodajas. Caliente 1 cucharada del aceite en una sartén. Sofría la cebolla a fuego lento de 10 a 12 minutos, removiendo hasta que se ablande. Apártela del fuego y resérvela. Envuelva cada hamburguesa con 2 lonchas de beicon.

4. Precaliente la barbacoa. Ase las hamburguesas a la brasa unos 4 o 5 minutos por cada lado, pintándolas con el resto del aceite, hasta que estén hechas por dentro. Si lo prefiere, áselas en una plancha estriada o bajo el gratinador. Sírvalas enseguida con la cebolla frita.

LAS ESPECIAS CAJÚN SON LA
AUTÉNTICA CHISPA DE ESTAS
HAMBURGUESAS DE CERDO.
GUÁRDELAS EN UN LUGAR FRÍO
Y OSCURO, YA QUE LA LUZ ECHA-
RÍA A PERDER EL PUNTO PICANTE.

HAMBURGUESAS TAILANDESAS

PREP.: 10 min + refrigeración

COCCIÓN: 10 min

PARA 4 UNIDADES

1½ cucharadas de aceite de girasol

1 guindilla (ají picante) roja fresca sin pepitas y picada

1 trozo de jengibre de 2,5 cm rallado

2 tallos de limoncillo sin las hojas y picados

350 g de carne blanca de cangrejo en conserva escurrida y desmenuzada

225 g de gambas cocidas peladas, descongeladas y bien secadas si fuera necesario

175 g de arroz jazmín cocido

1 cucharada de cilantro picado

115 g de brotes de soja

6 cebolletas (cebollas tiernas) picadas

1 cucharada de salsa de soja

1-2 cucharadas de harina integral

1. Caliente un wok o una sartén. Eche 2 cucharaditas del aceite, la guindilla, el jengibre y el limoncillo y rehóguelo todo a fuego medio-fuerte 1 minuto. Apártelo del fuego y déjelo enfriar.

2. Ponga los condimentos rehogados, el cangrejo, las gambas, el arroz, el cilantro, los brotes de soja, la cebolleta y la salsa de soja en el robot de cocina o la batidora y tritúrelo en intervalos breves hasta que quede bien mezclado. Forme 4 hamburguesas iguales y rebócelas con la harina. Tápelas y refrigérelas 1 hora.

3. Caliente una sartén antiadherente de base gruesa y eche el aceite restante. Cuando esté caliente, ase las hamburguesas a fuego medio 3 o 4 minutos por cada lado, o hasta que estén bien calientes. Sírvalas enseguida.

PASO 1

PASO 2

PASO 2

La carne de cangrejo es una excelente fuente de proteínas, además de ser baja en grasa y calorías. Sirva estas hamburguesas con Salsa tártara (véase la página 182).

HAMBURGUESAS HAWAIANAS

PREP.: 25 min   **COCCIÓN: 10 min**

LOS SABORES DE LAS ISLAS HAWÁI ENTRAN EN JUEGO EN ESTAS HAMBURGUESAS DE CERDO COMBINADAS CON PIÑA ASADA.

PARA 4 UNIDADES

450 g de cerdo recién picado

3 cucharadas de salsa teriyaki, y un poco más para untar

4 rodajas de piña (ananás) en conserva

rodajas de cebolla

aceite vegetal, para pintar

4 panecillos tiernos para hamburguesa abiertos

hojas de lechuga

1. Precaliente una plancha estriada a temperatura media-fuerte. Ponga el cerdo picado en un bol mediano, añada la salsa teriyaki y remueva con suavidad hasta que quede bien mezclado. Divídalo en 4 porciones iguales y deles forma de hamburguesa.

2. Pinte la piña y la cebolla con aceite. Ponga las hamburguesas, la piña y la cebolla en la plancha y tápelo. Ase la piña 3 o 4 minutos por cada lado, hasta que se ablande y quede marcada con las estrías de la plancha. Ase las hamburguesas 4 minutos por cada lado, hasta que se doren y estén hechas por dentro.

3. Unte las dos mitades de los panecillos con salsa teriyaki. Rellénelos con las hamburguesas, la piña, la cebolla y la lechuga y sírvalas enseguida.

PASO 2

PASO 1

LOS JAPONESES QUE INMIGRA-
RON A HAWÁI INTRODUJERON
INGREDIENTES COMO LA SALSA
TERIYAKI EN LA DIETA AUTÓCTO-
NA. DE HECHO, LO QUE SE CO-
NOCE COMO SALSA BARBACOA
HAWAIANA ES BÁSICAMENTE
SALSA TERIYAKI.

HAMBURGUESAS MEXICANAS

PREP.: 10 min + refrigeración   **COCCIÓN: 10-12 min**

PARA 4 UNIDADES

450 g de pavo recién picado

200 g de frijoles refritos en conserva

2-4 dientes de ajo majados

1-2 jalapeños frescos sin pepitas y picados

2 cucharadas de concentrado de tomate (jitomate)

1 cucharada de cilantro picado

1 cucharada de aceite de girasol

sal y pimienta

hojas tiernas de espinaca en juliana

4 panecillos con queso de hamburguesa abiertos

salsa de tomate (jitomate) al estilo mexicano

Guacamole (véase la página 186)

nachos, para acompañar

1. Ponga el pavo picado en un bol y deshaga los grumos con un tenedor. Triture los frijoles refritos hasta obtener un puré y póngalo en el bol con el pavo.

2. Añada el ajo, los jalapeños, el concentrado de tomate y el cilantro, salpimiente y mézclelo bien. Forme 4 hamburguesas iguales, tápelas y refrigérelas 1 hora.

3. Precaliente la barbacoa. Pinte las hamburguesas con el aceite y áselas a la brasa 5 o 6 minutos por cada lado, o hasta que estén hechas.

4. Reparta las espinacas entre la base de los panecillos y ponga las hamburguesas encima. Condiméntelas con un poco de salsa de tomate y guacamole y coloque la parte superior de los panecillos. Sírvalas enseguida acompañadas de nachos.

No todas las guindillas son iguales. Si duda del grado de picante que prefiere, empiece por las variedades más suaves y vaya probando otras más fuertes.

HAMBURGUESAS ARGENTINAS CON CHIMICHURRI

PREP.: 25 min + refrigeración

COCCIÓN: menos de 15 min

AL ESTAR RECIÉN PICADA, LA CARNE ENRIQUECE ESTAS HAMBURGUESAS INSPIRADAS EN LOS ASADOS Y LA SALSA CHIMICHURRI DE ARGENTINA.

PARA 4 UNIDADES

450 g de aguja, redondo o costillas de buey (vaca) sin hueso, o una combinación de estos cortes con al menos un 20% de grasa

40 g de cebolla picada

2 cucharadas de zumo (jugo) de limón recién exprimido

2 cucharadas de perejil picado

2 cucharadas de menta picada

1 diente de ajo majado

1 cucharadita de pimienta roja machacada (opcional)

50 ml de aceite de oliva

4 panecillos abiertos

rodajas de aguacate (palta)

sal y pimienta

1. Precaliente una plancha a temperatura media-fuerte. Trocee la carne en dados de 2,5 cm, póngala en un plato, tápela con film transparente y refrigérela unos 30 minutos, hasta que esté fría.

2. Mientras tanto, prepare el chimichurri. Ponga en un cuenco la cebolla, el zumo de limón, el perejil, la menta, el ajo y, si lo desea, la pimienta roja. Salpimiente y mézclelo bien. Incorpore el aceite y resérvelo.

3. Triture la mitad de la carne en el robot de cocina o la batidora en unos 15 intervalos breves. Salpimiéntela y tritúrela de 10 a 15 veces más, hasta que esté picada pero no deshecha. Sáquela del robot y repita la operación con la carne restante.

4. Divida el buey picado en 4 porciones iguales y deles forma de hamburguesa.

5. Ase las hamburguesas a la plancha 3 minutos por cada lado si le gustan poco hechas y 4 si le gustan en su punto.

6. Reparta las hamburguesas entre la base de los panecillos. Añada el aguacate y el chimichurri. Sírvalas enseguida.

PASO 2

PASO 3

PASO 6

EL CHIMICHURRI SUELE SERVIRSE CON CARNE DE VACUNO, POR ELLO ESTAS HAMBURGUESAS SON DE BUEY. DE TODAS FORMAS, TAMBIÉN COMBINA BIEN CON POLLO O PESCADO.

HAMBURGUESAS JAPONESAS

PREP.: 15 min + reposo

COCCIÓN: 15 min

ESTOS APERITIVOS VEGANOS JAPONESES SE ELABORAN CON ARROZ COCIDO PRENSADO A MODO DE PANECILLO CRUJIENTE RELLENO DE ESPINACAS.

PARA 5 UNIDADES

8 setas (hongos) shiitake, solo los sombrerillos

450 g de hojas de espinaca lavadas

2 cucharadas de salsa de soja

2 cucharadas de mirin

2 cucharaditas de sésamo tostado

1 cucharadita de sal

225 ml de agua templada

425 g de arroz redondo enjuagado, cocido y reservado templado

2 cucharaditas de aceite de sésamo, para freír

1. Precaliente el gratinador a la temperatura máxima. Disponga las setas en la bandeja del gratinador y áselas 3 minutos por cada lado, hasta que se doren y estén tiernas. Córtelas en láminas finas y páselas a un bol mediano.

2. Lleve agua a ebullición en una olla. Eche las espinacas y escáldelas 1 minuto. Escúrralas, refrésquelas con agua fría y estrújelas bien. Póngalas en el bol con las setas, añada la salsa de soja, el mirin y el sésamo y mézclelo bien.

3. Disuelva la sal en el agua templada. Ponga el arroz en un cuenco de boca ancha y divídalo en 5 partes. Humedézcase las manos con el agua y moldee el arroz en forma de panecillo. Antes de proceder con cada porción, humedézcase las manos. Déjelo reposar 20 minutos.

4. Caliente una sartén antiadherente o una plancha estriada a fuego medio y pinte la superficie con un poco de aceite. Ase los panecillos de arroz unos 4 minutos por cada lado, dándoles la vuelta con cuidado, hasta que se doren.

5. Reparta las espinacas entre la mitad de los panecillos de arroz y cúbralas con los restantes. Envuelva las hamburguesas en trozos cuadrados de papel vegetal para que no se desmonten y sírvalas al cabo de 2 horas como máximo.

139

HAMBURGUESAS COREANAS

PREP.: 20 min **COCCIÓN: 20 min**

LA CEBOLLETA Y EL JENGIBRE REALZAN EL SABOR ESPECIADO DEL KIMCHI COREANO (COL FERMENTADA) EN ESTAS JUGOSAS HAMBURGUESAS.

PARA 6 UNIDADES

450 g de buey (vaca) recién picado

225 g de cerdo recién picado

1 cucharada de jengibre bien rallado

1 cucharadita de salsa de soja

10 cebolletas (cebollas tiernas)

1 cucharadita de aceite vegetal

6 panecillos para hamburguesa con sésamo abiertos

225 ml de kimchi

1. Precaliente una plancha estriada a la temperatura máxima. Ponga en un bol grande el buey y el cerdo picados, el jengibre y la salsa de soja y mézclelo bien. Pique bien 2 cebolletas e incorpórelas a la carne. Divídalo en 6 porciones iguales y deles forma de hamburguesa. Tápelas y refrigérelas.

2. Mientras tanto, corte las cebolletas restantes en trozos de 10 cm y píntelas con aceite. Áselas a la plancha unos 5 minutos, dándoles la vuelta, hasta que estén tiernas y doradas. Resérvelas.

3. Ase las hamburguesas a la plancha unos 4 minutos por cada lado, hasta que queden marcadas con las estrías de la plancha y estén hechas.

4. Rellene los panecillos con las hamburguesas, las cebolletas asadas y el kimchi. Sírvalas enseguida.

KA-POW!

ENCONTRARÁ KIMCHI EN ESTA-
BLECIMIENTOS ESPECIALIZADOS,
O PUEDE PREPARARLO EN CASA.
HAY MUCHAS VARIACIONES, POR
LO QUE PODRÁ ELEGIR LA RECE-
TA MÁS AFÍN A SUS
PREFERENCIAS.

HAMBURGUESAS CON QUESO Y GUINDILLA

PREP.: 25 min   COCCIÓN: 20 min

CUESTA POCO AÑADIR UNAS GUINDILLAS ASADAS Y QUESO A LAS HAMBURGUESAS, PERO EN ESTE CASO SE MEZCLAN CON LA CARNE PICADA PARA EVOCAR TODO EL SABOR DE LA REGIÓN FRONTERIZA DE ESTADOS UNIDOS.

PARA 6 UNIDADES

3 guindillas (ajís picantes) verdes frescas grandes y suaves

675 g de buey (vaca) recién picado

1 cucharadita de sal

115 g de cheddar rallado, y 6 lonchas más

6 panecillos tiernos para hamburguesa abiertos

1. Precaliente el gratinador al máximo. Ponga las guindillas en la rejilla y áselas, dándoles la vuelta a menudo, hasta que se chamusquen. Tápelas con papel de aluminio y déjelas reposar 15 minutos. Pélelas, retíreles los tallos y píquelas bien.

2. Ponga el buey picado, la sal, la guindilla picada y el queso rallado en un bol grande y mézclelo con suavidad.

3. Divídalo en 6 porciones iguales y deles forma de hamburguesa. Ase las hamburguesas en una plancha precalentada 4 minutos. Deles la vuelta, ponga una loncha de queso sobre cada una, tápelas y prosiga con la cocción 4 minutos más, o hasta que alcancen el punto deseado y el queso se haya derretido. Rellene los panecillos con las hamburguesas y sírvalas enseguida.

PASO 1

PASO 2

PASO 3

LAS GUINDILLAS DE ESTA RECETA
SON GRANDES Y POCO PICANTES,
PERO PUEDE SUSTITUIRLAS POR
LA VARIEDAD QUE PREFIERA.

HAMBURGUESAS DE CORDERO CON PAN DE PITA

PREP.: 25 min

COCCIÓN: menos de 15 min

ESTAS HAMBURGUESAS SON ALGO MÁS PEQUEÑAS DE LO HABITUAL, PERO EL CORDERO ACOMPAÑADO DE HORTALIZAS Y SALSA TAHÍN ES SACIANTE.

PARA 6 UNIDADES

450 g de cordero recién picado

3 cucharadas de cebolla roja picada

1 cucharada de cilantro picado, y unas hojas para adornar

1 cucharadita de sal

$1/2$ cucharadita de pimienta

$1/2$ cucharadita de comino molido

90 ml de tahín

90 ml de yogur

1 diente de ajo majado

3 panes de pita grandes calentados y abiertos

rodajas de tomate (jitomate)

rodajas de pepino

aceite de oliva, para rociar

sal y pimienta

1. Precaliente el gratinador a temperatura media-fuerte y forre la bandeja con papel de aluminio. Ponga el cordero en un bol mediano y eche la cebolla, el cilantro, 1 cucharadita de sal, $1/2$ cucharadita de pimienta y el comino y mézclelo con suavidad. Divídalo en 6 porciones iguales, forme hamburguesas de 7,5 cm de grosor y póngalas en la bandeja.

2. Disponga la bandeja bajo el gratinador precalentado y ase las hamburguesas de 5 a 7 minutos por cada lado, o hasta que estén hechas y doradas.

3. Ponga el tahín, el yogur y el ajo en un bol, salpiméntelo y remuévalo. Rellene los panes de pita con las hamburguesas y aderécelas con la salsa. Añada unas rodajas de tomate y de pepino y unas hojas de cilantro, rocíelo con el aceite y sírvalas enseguida.

El tahín, o pasta de semillas de sésamo, puede sacarle de más de un apuro. Elija una variedad oscura, ya que el sésamo conservará la nutritiva cáscara y tendrá un sabor más intenso.

HAMBURGUESAS INDIAS CON RAITA

PREP.: 30 min   **COCCIÓN: 15 min**

COMO LA RAITA INDIA, LA SALSA DE YOGUR Y EL PEPINO PONEN EL CONTRAPUNTO REFRESCANTE A LAS ESPECIAS EN ESTAS RICAS HAMBURGUESAS.

PARA 6 UNIDADES

2 cucharadas de aceite vegetal

1 cebolla picada

450 g de buey (vaca) recién picado

1 trozo de jengibre de 5 cm picado

2 dientes de ajo majados

1 cucharadita de cilantro molido

1 cucharadita de comino molido

1 cucharadita de sal

1/2 cucharadita de cúrcuma

1/2 cucharadita de cayena

1/2 cucharadita de nuez moscada molida

6 tortas de pan

SALSA DE YOGUR

1 diente pequeño de ajo majado

1/2 cucharadita de garam masala

1/2 cucharadita de sal

1 cucharadita de zumo (jugo) de limón

225 ml de yogur griego

RAITA

1 pepino pequeño

1/2 cucharadita de sal

2 cucharaditas de zumo (jugo) de limón

1. Caliente 1 cucharada del aceite a fuego fuerte en una sartén grande. Rehogue la cebolla unos 10 minutos, removiendo a menudo, hasta que comience a dorarse. Retírela con una espátula y resérvela, dejando el aceite en la sartén.

2. Mientras tanto, para preparar la salsa de yogur, mezcle el ajo, el garam masala, la sal y el zumo de limón con el yogur. Resérvelo para que se entremezclen los sabores. Para preparar la raita, parta el pepino por la mitad a lo largo, córtelo en trocitos y alíñelo con la sal y el zumo de limón. Resérvelo para que se entremezclen los sabores.

3. Ponga el buey picado en un bol grande con la cebolla, el jengibre, el ajo, el cilantro, el comino, la sal, la cúrcuma, la cayena y la nuez moscada y mézclelo bien. Divídalo en 6 porciones iguales y deles forma de hamburguesa ovalada de 15 cm.

4. Caliente de nuevo la sartén a fuego fuerte y eche el aceite restante. Ase las hamburguesas por un lado unos 5 minutos, hasta que se doren. Deles la vuelta y áselas otros 5 minutos por el otro lado, o hasta que alcancen el punto deseado.

5. Disponga una hamburguesa sobre cada torta de pan y condiméntelas con 1 cucharada de salsa de yogur y un poco de ensalada de pepino cada una. Enrolle los lados de la torta para encerrar el relleno. Sirva las hamburguesas enseguida, acompañadas de la salsa de yogur y la ensalada de pepino que hayan sobrado.

PASO 5

PASO 1

Existen muchas variaciones de la raita, desde la receta tradicional con pepino hasta la de menta y la de berenjena. Las posibilidades son infinitas.

HAMBURGUESAS DE LENTEJAS Y PATATA

PREP.: 30 min   **COCCIÓN: 45 min**

SALUDABLES Y VEGETARIANAS, ESTAS HAMBURGUESAS SE PREPARAN CON LENTEJAS SALTEADAS CON ESPECIAS INDIAS Y PURÉ DE PATATA.

PARA 6 UNIDADES

100 g de lentejas verdinas

1 zanahoria pelada y en dados

2 cucharadas de aceite vegetal, y un poco más para asar

1 cucharada de mostaza a la antigua

1 cucharadita de cilantro molido

1 cucharadita de comino molido

1/2 cebolla picada

1 cucharadita de ajo majado

1 guindilla (ají picante) fresca picada, o 1/2 cucharadita de cayena molida

55 g de guisantes descongelados

1 patata cocida, pelada y chafada

55 g de pan recién rallado

6 panecillos de hamburguesa integrales abiertos

chutney de cilantro o de mango envasado

hojas de lechuga

sal y pimienta

1. Lleve agua con un poco de sal a ebullición en una olla. Eche las lentejas y, cuando el agua rompa de nuevo el hervor, baje el fuego y cuézalas 15 minutos. Añada la zanahoria y prosiga con la cocción unos 10 minutos más, hasta que las lentejas se ablanden. Escúrralo.

2. Caliente el aceite en una sartén mediana. Eche la mostaza, el cilantro y el comino y gire la sartén para que se impregnen en el aceite. Añada la cebolla, el ajo y la guindilla y rehóguelo todo de 5 a 8 minutos, removiendo a menudo, hasta que la cebolla se ablande. Incorpore las lentejas y la zanahoria y caliéntelas a fuego lento unos 5 minutos para que se evapore el líquido. Agregue los guisantes y la patata, salpimiente y mézclelo bien.

3. Ponga el pan rallado en un bol llano. Divida las lentejas en 6 porciones iguales y deles forma de hamburguesa. Rebócelas por ambas caras con el pan rallado.

4. Caliente una plancha estriada o una sartén grande a fuego medio y eche aceite suficiente para cubrir la superficie. Ase las hamburguesas unos 5 minutos por cada lado, hasta que se doren.

5. Rellene los panecillos con las hamburguesas, un poco de chutney y unas hojas de lechuga, y sírvalas enseguida.

CON UN *26%* DEL APORTE CALÓRICO PROCEDENTE DE LAS PROTEÍNAS, LAS LENTEJAS SON UN ALIMENTO IMPRESCINDIBLE QUE FORTALECE LA PIEL, LAS UÑAS Y EL CABELLO.

HAMBURGUESAS DE GAMBAS AL CEBOLLINO

PREP.: 20 min + refrigeración

COCCIÓN: 10 min

ESTA SABROSA RECETA NO PODRÍA SER MÁS SENCILLA. LA COCCIÓN A FUEGO MEDIO DE LAS GAMBAS HACE QUE QUEDEN JUGOSAS Y TIERNAS: PARA CHUPARSE LOS DEDOS.

PARA 4 UNIDADES

450 g de gambas peladas y sin el hilo intestinal

1 manojo de cebollino (cebollín) o 2 cebolletas (cebollas tiernas)

1 cucharadita de aceite vegetal

4 brioches o panecillos tiernos para hamburguesa abiertos

225 ml de Maíz dulce con especias (véase la página 190)

1. Trocee las gambas y triture la mitad en el robot de cocina o la batidora hasta obtener una pasta, o bien píquelas bien con un cuchillo. Mezcle la pasta con las gambas troceadas. Corte el cebollino en trocitos e incorpórelo.

2. Divida la pasta de gambas en 4 porciones iguales. Con las manos humedecidas, deles forma de hamburguesa. Póngalas en un plato, tápelas y refrigérelas al menos 30 minutos o, si fuera posible, toda la noche.

3. Caliente el aceite a fuego medio en una sartén antiadherente grande y eche las hamburguesas. Tápelas a medias y fríalas 6 minutos, hasta que estén casi hechas. Deles la vuelta y fríalas alrededor de 1 minuto por el otro lado, hasta que estén rosadas y hechas.

4. Rellene los brioches con las hamburguesas y condiméntelas con el maíz dulce con especias. Sírvalas enseguida.

HAMBURGUESAS VIETNAMITAS

PREP.: 30 min + maceración

COCCIÓN: 10 min

ESTAS HAMBURGUESAS AROMATIZADAS CON MEZCLA CHINA DE CINCO ESPECIAS Y CONDIMENTADAS CON ENCURTIDOS ESTÁN INSPIRADAS EN LOS BOCADILLOS VIETNAMITAS.

PARA 4 UNIDADES

450 g de cerdo recién picado

1 diente de ajo majado

1 cucharada de salsa de pescado tailandesa

1 cucharadita de mezcla china de cinco especias

1/2 cucharadita de azúcar

1/4 de cucharadita de pimienta

50 ml de mayonesa

4 panecillos abiertos

láminas finas de pepino

1 manojo de ramitas de cilantro

1 guindilla (ají picante) fresca sin pepitas y en rodajitas

salsa de soja o salsa de guindilla (ají picante)

ENCURTIDOS

3 zanahorias en juliana

200 g de rábano daikon en juliana

1 cucharadita de sal

1 cucharadita de azúcar

175 ml de vinagre destilado

175 ml de agua

1. Para preparar los encurtidos, ponga la zanahoria y el daikon en un bol mediano y condiméntelos con la sal y el azúcar. Eche el vinagre y el agua y déjelo macerar al menos 30 minutos o, si fuera posible, toda la noche.

2. Ponga en un bol mediano el cerdo picado, el ajo, la salsa de pescado, las especias, el azúcar y la pimienta. Mézclelo con suavidad, divídalo en 4 porciones iguales y deles forma de hamburguesas ovaladas que quepan en los panecillos.

3. Caliente una plancha estriada a fuego medio-fuerte y ase las hamburguesas 5 minutos por cada lado, hasta que se doren y estén hechas.

4. Unte los panecillos con la mayonesa y rellénelos con una hamburguesa, una lámina de pepino, los encurtidos, varias ramitas de cilantro y unas rodajitas de guindilla cada una. Condiméntelas con salsa de soja y sírvalas enseguida.

PASO 1

PASO 4

SORPRENDA A SUS INVITADOS CON ESTAS HAMBURGUESAS AROMÁTICAS Y APETECIBLES. ADEMÁS DE SER EXQUISITAS TIENEN UN COLORIDO MUY VISTOSO.

HAMBURGUESAS DE POLLO CON SALSA DE CACAHUETE

PREP.: 30 min

COCCIÓN: 10 min

PARA 4 UNIDADES

1 cucharada de azúcar moreno

1 cucharada de salsa de soja

1 cucharada de salsa de pescado tailandesa

1 cucharada de limoncillo picado

2 cucharaditas de curry en polvo

1 diente de ajo majado

$1/2$ guindilla (ají picante) fresca picada, o $1/2$ cucharadita de cayena molida

450 g de pollo recién picado

aceite de cacahuete (cacahuate), para pintar

4 panecillos abiertos

cebollitas encurtidas en rodajitas

SALSA

100 g de crema de cacahuete (cacahuate) crujiente

90 ml de leche de coco

2 cucharadas de agua caliente, y un poco más si fuera necesario

1 cucharada de salsa de pescado tailandesa

1 cucharada de azúcar moreno

1 cucharada de salsa de soja

2 cucharaditas de zumo (jugo) de lima (limón) recién exprimido

1 cucharadita de ajo picado

$1/4$ de guindilla (ají picante) picada, o $1/4$ de cucharadita de cayena molida

1. Ponga en un bol mediano el azúcar, la salsa de soja, la salsa de pescado, el limoncillo, el curry, el ajo y la guindilla. Remueva e incorpore el pollo picado. Divídalo en 4 porciones iguales y, con las manos humedecidas, deles forma de hamburguesas ovaladas de 1 cm de grosor.

2. Para preparar la salsa, triture todos los ingredientes en el robot de cocina o la batidora hasta obtener una pasta homogénea. Si quedara demasiado espesa, añádale un poco más de agua.

3. Pinte una plancha estriada con un poco de aceite y caliéntela a fuego medio-fuerte. Ase las hamburguesas 5 minutos, deles la vuelta y áselas otros 5 minutos, hasta que estén doradas y hechas.

4. Unte las dos mitades de los panecillos con la salsa de cacahuete y añada las hamburguesas y unas rodajitas de cebollitas encurtidas. Sírvalas enseguida.

PASO 1

PASO 2

PASO 3

EL POLLO PICADO SE CONDIMENTA COMO LAS BROCHETAS Y SE ACOMPAÑA DE UNA BUENA CANTIDAD DE SALSA DE CACAHUETE DULCE Y PICANTE.

HAMBURGUESAS CALIFORNIANAS

PREP.: 15 min + refrigeración

COCCIÓN: 10 min

UNA MAGNÍFICA PROPUESTA PARA CUANDO LE APETEZCA UNA HAMBURGUESA SIN RENUNCIAR A LA SALUD NI AL SABOR.

PARA 4 UNIDADES

450 g de pavo recién picado

1 cucharadita de sal

1 aguacate (palta)

1 cucharada de zumo (jugo) de limón

2 cucharaditas de aceite de oliva

4 panecillos de hamburguesa integrales abiertos

rodajas de tomate (jitomate)

115 g de brotes de soja

1. Precaliente la barbacoa a temperatura media. Ponga el pavo picado en un bol grande y espolvoréelo con la sal. Deshaga los grumos con suavidad y mézclelo con la sal.

2. Divídalo en 4 porciones iguales y deles forma de hamburguesa. Refrigérelas unos 15 minutos.

3. Mientras tanto, pele el aguacate, retírele el hueso y córtelo en láminas. Rocíelo con el zumo de limón, remuévalo con suavidad y resérvelo.

4. Pinte las hamburguesas con aceite por ambas caras y póngalas en la parrilla de la barbacoa. Áselas unos 4 minutos, hasta que empiecen a dorarse y se desprendan fácilmente de la parrilla. Deles la vuelta y áselas unos 4 minutos por el otro lado, hasta que estén hechas.

5. Disponga las hamburguesas en la base de los panecillos. Añada el aguacate, unas rodajas de tomate y los brotes de soja. Tape los panecillos y sírvalas enseguida.

LOS BROTES DE SOJA SON BAJOS EN CALORÍAS Y CONTIENEN MUCHOS NUTRIENTES, COMO VITAMINA C, PROTEÍNAS, CALCIO Y ÁCIDO FÓLICO.

HAMBURGUESAS DE CORDERO Y FETA

PREP.: 10 min + refrigeración

COCCIÓN: 10 min

La combinación aparentemente insólita de feta, ciruelas, piñones y romero da como resultado unas hamburguesas riquísimas.

PARA 4-6 UNIDADES

450 g de cordero recién picado

225 g de feta desmenuzado

2 dientes de ajo majados

6 cebolletas (cebollas tiernas) picadas

85 g de ciruelas sin hueso picadas

3 cucharadas de piñones tostados

55 g de pan integral recién rallado

1 cucharada de romero fresco picado

1 cucharada de aceite de girasol

sal y pimienta

4-6 Panecillos para hamburguesa (véase la página 200)

1. Ponga el cordero picado en un bol grande con el feta, el ajo, la cebolleta, la ciruela, los piñones y el pan rallado. Mézclelo bien y deshaga los grumos con un tenedor.

2. Añada el romero y salpimiente. Mézclelo todo bien y forme 6 hamburguesas. Tápelas y refrigérelas 30 minutos.

3. Precaliente la barbacoa. Pinte las hamburguesas con la mitad del aceite y áselas a la brasa 4 minutos. Píntelas con el aceite restante y deles la vuelta. Áselas 4 minutos más, o hasta que estén hechas. Rellene los panecillos con las hamburguesas y sírvalas enseguida.

PASO 1

PASO 2

¿SE ANIMA A PREPARAR SUS
PROPIOS PANECILLOS? SUS
INVITADOS NO SOLO SE SOR-
PRENDERÁN SINO QUE TAMBIÉN
SE DELEITARÁN CON EL AROMA
DEL PAN RECIÉN HORNEADO.

LOCO MOCO

PREP.: 20 min **COCCIÓN: 35 min**

ESTA RECETA MULTICULTURAL HAWAIANA DE ARROZ, HAMBURGUESA Y HUEVO FRITO NAPADOS EN UNA SALSA SUELE TOMARSE DESPUÉS DE PRACTICAR SURF PARA REPONER FUERZAS.

PARA 4 UNIDADES

300 g de arroz redondo
1 cucharada de mantequilla, y un poco más para asar
1 cucharada de harina
450 ml de caldo de carne
450 g de buey (vaca) recién picado
4 huevos
sal y pimienta

1. Cueza el arroz según las indicaciones del envase. Resérvelo caliente.

2. Derrita la mantequilla a fuego medio-lento en una sartén mediana. Eche la harina y rehóguela, removiendo, 4 minutos o hasta que empiece a tomar color. Vierta el caldo, remueva, llévelo a ebullición y cuézalo 20 minutos a fuego lento, hasta que se espese. Salpimiente la salsa y resérvela caliente.

3. Mientras tanto, ponga el buey picado en un bol mediano, salpiméntelo con moderación, divídalo en 4 porciones iguales y deles forma de hamburguesa.

4. Ponga mantequilla suficiente en una plancha estriada para cubrir la superficie y derrítala a fuego medio-fuerte. Ase las hamburguesas 4 minutos por cada lado, o hasta que alcancen el punto deseado. Retírelas de la sartén y resérvelas calientes. En la misma sartén, casque los huevos y salpiméntelos. Fríalos 3 o 4 minutos, hasta que la clara cuaje y la yema comience a endurecerse por los bordes.

5. Reparta el arroz cocido entre 4 platos y añada una hamburguesa, un huevo frito y una buena cantidad de salsa a cada ración. Sírvalo enseguida.

PASO 2

PASO 4

ESTA RECETA ES UNA
OPCIÓN MUY COMPLETA.
GRACIAS A LA COMBINACIÓN
DE INGREDIENTES PUEDE
TOMARSE PARA DESAYUNAR,
COMER O CENAR.

HAMBURGUESAS PICANTES AL JENGIBRE

PREP.: 20 min + refrigeración

COCCIÓN: 20 min

La combinación de carne de buey y de cerdo con el toque picante y aromático del jengibre hacen de estas hamburguesas toda una exquisitez.

PARA 4 UNIDADES

1 buen manojo de cilantro

1 diente de ajo

225 g de buey (vaca) recién picado

225 g de cerdo recién picado

2 cucharadas de salsa de guindilla (ají picante) roja

2 cucharaditas de jengibre bien rallado

2 cucharaditas de salsa de soja

2 bok choy pequeños

2 cucharaditas de aceite vegetal

4 panecillos tiernos para hamburguesa abiertos

1. Pique bien la mitad de las hojas de cilantro y el diente de ajo.

2. Ponga en un bol el buey y el cerdo picados, la salsa de guindilla, el jengibre, la salsa de soja y el cilantro y el ajo picados y mézclelo bien. Divídalo en 4 porciones iguales y deles forma de hamburguesa de 1-2 cm de grosor. Tápelas y refrigérelas.

3. Trocee los bok choy, desechando los extremos más duros. Caliente una sartén grande a fuego fuerte, eche el aceite y gírela para cubrir toda la base. Rehogue el bok choy, removiendo a menudo, hasta que se ablande. Retírelo y resérvelo.

4. En la misma sartén, ase las hamburguesas unos 4 minutos, hasta que se doren. Deles la vuelta y áselas 4 minutos más, hasta que estén hechas y doradas por ambos lados.

5. Reparta las hamburguesas entre la base de los panecillos. Añada el bok choy y las hojas de cilantro restantes. Sírvalas enseguida.

La hamburguesa perfecta para los amantes del picante. Si prefiere un sabor más suave, utilice menos salsa de guindilla.

HAMBURGUESAS DE PAVO CON SALSA PONZU

PREP.: 20 min   COCCIÓN: 10 min

La salsa ponzu —una combinación de yuzu (un cítrico japonés), copos de bonito, algas, mirin y salsa de soja— concentra los mejores sabores para condimentar estas sabrosas hamburguesas.

PARA 4 UNIDADES

450 g de pavo recién picado

2 cucharadas de semillas de sésamo

4 cucharaditas de salsa de soja, y un poco más para servir

1 cucharadita de aceite de sésamo tostado

1 cucharadita de ajo majado

4 cucharadas de mayonesa

2 cucharadas de salsa ponzu

4 panecillos para hamburguesa con sésamo abiertos

25 g de hojas tiernas de lechuga

rodajas de tomate (jitomate)

pimienta

1. Ponga el pavo picado en un bol mediano con las semillas de sésamo, la salsa de soja, el aceite y el ajo, sazone con pimienta y remueva con suavidad. Divídalo en 4 porciones iguales y deles forma de hamburguesa. Póngalas en la bandeja del horno.

2. Precaliente el gratinador a la temperatura máxima y coloque la rejilla bajo el fuego. Ase las hamburguesas en la rejilla 5 minutos, deles la vuelta y áselas otros 4 o 5 minutos, hasta que estén hechas.

3. Mezcle la mayonesa con la salsa ponzu en un cuenco (obtendrá una consistencia ligera). Unte las dos mitades de los panecillos con la salsa y ponga las hamburguesas sobre la inferior. Añada unas hojas de lechuga y unas rodajas de tomate, y sazone con pimienta y un chorrito de salsa de soja. Sírvalas enseguida.

PASO 1

PASO 3

ENCONTRARÁ SALSA PONZU EN ESTABLECIMIENTOS ESPECIALIZADOS.

HAMBURGUESAS CON TERIYAKI

PREP.: 10 min + refrigeración

COCCIÓN: 10-15 min

PARA 4 UNIDADES

- 450 g de buey (vaca) recién picado
- 8 cebolletas (cebollas tiernas)
- 2-4 dientes de ajo
- 1 trozo de jengibre de 2,5 cm rallado
- ¹/₂ cucharadita de wasabi o rábano picante recién rallado, o al gusto
- 4 cucharaditas de salsa o marinada teriyaki
- 2 cucharaditas de aceite de cacahuete (cacahuate)
- 2 zanahorias ralladas
- 115 g de bok choy en juliana
- 55 g de pepino rallado
- 4 panecillos tiernos para hamburguesa abiertos
- algas fritas crujientes, para adornar (opcional)

1. Ponga el buey picado, la cebolleta, el ajo, el jengibre, el wasabi y la salsa teriyaki en el robot de cocina o la batidora y mézclelo en intervalos breves. Forme 4 hamburguesas iguales, tápelas y refrigérelas 30 minutos.

2. Caliente una sartén de base gruesa y eche 1 cucharadita del aceite. Cuando esté caliente, fría las hamburguesas a fuego medio de 3 a 5 minutos por cada lado, o hasta que alcancen el punto deseado. Resérvelas calientes.

3. Reparta las hortalizas entre la base de los panecillos y añada las hamburguesas y, si lo desea, algas fritas. Tape los panecillos y sírvalas enseguida.

LA SALSA TERIYAKI —UNA COMBINACIÓN DE SALSA DE SOJA, VINO, VINAGRE, ESPECIAS Y UN TOQUE DULCE— SE UTILIZA PARA ABLANDAR LA CARNE E IMPREGNARLA DE SABORES ASIÁTICOS.

CAPÍTULO 4
GUARNICIONES
Y BEBIDAS

KÉTCHUP

PREP.: 10 min   **COCCIÓN: 15-20 min**

TODO EL MUNDO HA PROBADO EL KÉTCHUP, PERO POCOS
SABEN PREPARARLO EN CASA. ESTA RECETA ES SENCILLA
Y EL RESULTADO, PARA CHUPARSE LOS DEDOS.

PARA UNOS 250 ML

2 cucharadas de aceite de oliva

1 cebolla roja pelada y picada

2 dientes de ajo picados

4 tomates (jitomates) pera picados

250 g de tomate (jitomate) troceado en conserva

$1/2$ cucharadita de jengibre molido

$1/2$ cucharadita de guindilla (ají picante) molida

3 cucharadas de azúcar moreno

100 ml de vinagre de vino tinto

sal y pimienta

1. Caliente el aceite en una cazuela y eche la cebolla, el ajo y los dos tipos de tomate. Agregue el jengibre y la guindilla y salpimiente. Sofría las hortalizas 15 minutos, o hasta que se ablanden.

2. Triture bien el sofrito en el robot de cocina o la batidora. Páselo por un colador para separar las pepitas. Devuelva la salsa a la cazuela y añada el azúcar y el vinagre. Llévela a ebullición y déjela al fuego hasta que adquiera la consistencia del kétchup.

3. Deje enfriar el kétchup, póngalo en un tarro esterilizado (véase la página 199), refrigérelo y consúmalo en el plazo de 1 mes como máximo.

PASO 1

PASO 2

SI DESEA ENVASAR LOS CONDIMENTOS DE ESTE CAPÍTULO, COMPRE UNOS TARROS PARA CONSERVAS Y SIGA LAS INDICACIONES DEL FABRICANTE PARA ESTERILIZAR TANTO LOS RECIPIENTES COMO SU CONTENIDO.

SALSA BARBACOA

PREP.: 15 min   **COCCIÓN: 20 min**

PARA UNOS 225 ML

1 cucharada de aceite de oliva

1 cebolla pequeña picada

2-3 dientes de ajo majados

1 jalapeño rojo sin pepitas y picado (opcional)

2 cucharaditas de concentrado de tomate (jitomate)

1 cucharadita (o al gusto) de mostaza a la antigua

1 cucharada de vinagre de vino tinto

1 cucharada de salsa Worcestershire

2-3 cucharaditas de azúcar moreno

300 ml de agua

1. Caliente el aceite en un cazo de base gruesa y saltee a fuego lento la cebolla, el ajo y, si lo desea, el jalapeño, removiendo a menudo, 3 minutos o hasta que empiecen a ablandarse. Aparte el cazo del fuego.

2. Diluya el concentrado de tomate en la mostaza, el vinagre y la salsa Worcestershire hasta obtener una pasta e incorpórela a la cebolla rehogada con 2 cucharaditas del azúcar. Mézclelo bien e incorpore el agua poco a poco.

3. Devuelva el cazo al fuego y llévelo a ebullición, removiendo a menudo. Baje el fuego y cuézalo 15 minutos más, removiendo de vez en cuando. Rectifique la sazón y, si fuera necesario, añada el azúcar restante. Cuele la salsa, si lo prefiere, y sírvala caliente o déjela enfriar y refrigérela. Puede guardarla en un tarro esterilizado (véase la página 199), refrigerarla y consumirla en el plazo de 2 semanas como máximo.

LA SALSA BARBACOA ES EL CONDIMENTO POR EXCELENCIA DE LA HAMBURGUESA, A LA QUE LE DA UN TOQUE MUY ESPECIAL.

MOSTAZA

PREP.: 15 min + reposo **COCCIÓN: ninguna**

COMO SUCEDE CON LA MOSTAZA DE DIJON, EL SABOR DE LA SALSA MEJORA Y SE SUAVIZA DESPUÉS DE UN PAR DE DÍAS EN EL FRIGORÍFICO.

PARA 175 ML

3 cucharadas de semillas de mostaza oscura

3 cucharadas de vinagre de sidra

1-2 cucharadas de agua

3 cucharadas de mostaza en polvo

2 cucharaditas de sal

2 cucharaditas de miel

1. Ponga las semillas de mostaza en un recipiente pequeño que no sea metálico con el vinagre y el agua necesaria para cubrirlas. Tápelas y déjelas macerar dos días a temperatura ambiente.

2. Cuele la mostaza, reservando el líquido. Muélala en un molinillo de especias hasta que parte de las semillas queden machacadas y las otras, enteras. Si fuera necesario, empuje las semillas hacia abajo y muélalas de nuevo, pero tenga en cuenta que cuanto más machacadas queden más picante será la mostaza.

3. Ponga la mostaza machacada en un cuenco con la mostaza en polvo, la sal y la miel. Añada la marinada reservada y remueva.

4. Pase la mostaza a un recipiente que no sea metálico esterilizado (véase la página 199) y refrigérela al menos 2 días antes de servirla. Consúmala en el plazo de 2 semanas como máximo.

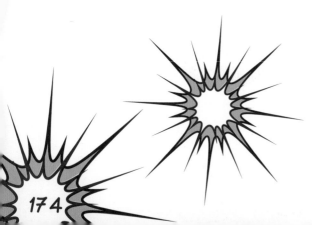

175

ENSALADA DE COL

PREP.: 10 min, + refrigeración

COCCIÓN: ninguna

LA ENSALADA DE COL ES UN PLATO MUY REFRESCANTE. SÍRVALA COMO PARTE DE UNA ENSALADA, PARA CONDIMENTAR UNA HAMBURGUESA O SIMPLEMENTE SOLA.

PARA 10-12 PERSONAS

150 ml de mayonesa
150 ml de yogur
unas gotas de tabasco
1 cogollo de col (repollo) verde
4 zanahorias
1 pimiento (chile) verde
sal y pimienta

1. Para preparar el aliño, ponga la mayonesa, el yogur y el tabasco en un cuenco, salpimiente y mézclelo bien. Refrigérelo hasta que vaya a servirlo.

2. Parta la col por la mitad y, después, en cuartos. Retírele el troncho y deséchelo. Corte las hojas en juliana, lávelas con agua fría y séquelas bien con papel de cocina. Pele las zanahorias y córtelas en juliana en el robot de cocina o con una mandolina. Cuartee el pimiento, retírele las pepitas y córtelo en juliana.

3. Ponga todas las hortalizas en una ensaladera y mézclelas bien. Aliñe la ensalada y remueva bien. Tápela y refrigérela hasta que vaya a servirla. Consúmala en el plazo de 2 días como máximo.

La receta original puede enriquecerse con todo tipo de ingredientes. Pruebe con frutos secos, semillas, manzana, pasas o alcaparras. El queso también le da un toque muy especial.

PEPINO ENCURTIDO

PREP.: 15 min + refrigeración

COCCIÓN: 20 min

EL PEPINO ENCURTIDO, O MACERADO EN VINAGRE, CONSTITUYE UN ACOMPAÑAMIENTO MUY REFRESCANTE PARA LAS HAMBURGUESAS.

PARA 950 G

4 pepinos
350 ml de vinagre de manzana
1 cucharadita de semillas de mostaza
1 cucharadita de semillas de cilantro
50 g de azúcar
2 cucharaditas de sal
1 pimiento (chile) verde
1 cebolla pequeña

1. Despunte los pepinos, pártalos por la mitad a lo largo, retíreles las pepitas y córtelos en daditos.

2. Lleve el vinagre a ebullición en una olla. Eche el pepino y hiérvalo unos 4 minutos, removiendo a menudo, hasta que empiece a perder el color y esté tierno pero aún crujiente.

3. Retírelo con una espumadera y resérvelo. Eche la mostaza y el cilantro en la olla y llévelo de nuevo a ebullición. Incorpore el azúcar y la sal y baje el fuego. Déjelo que hierva hasta que el vinagre se reduzca a 125 ml.

4. Mientras tanto, pique bien el pimiento y la cebolla. Mézclelos con el pepino cocido. Vierta la reducción de vinagre sobre las hortalizas y remueva bien. Ponga el pepino encurtido en tarros esterilizados (véase la página 199). Tápelo y refrigérelo al menos 1 hora antes de servirlo o consúmalo en un plazo de 2 semanas como máximo.

PASO 4

PASO 1

Esta receta va bien prácticamente con todas las hamburguesas. Los encurtidos pueden servirse directamente en el tarro. Si desea envasarlos, siga las indicaciones del fabricante del hervidor de conservas.

179

KÉTCHUP Y MOSTAZA AL CHIPOTLE

SI LE APETECE AÑADIR UN TOQUE PICANTE A SUS HAMBURGUESAS, SORPRENDA A SUS INVITADOS CON ESTAS SENCILLAS RECETAS.

PARA 225 ML

KÉTCHUP AL CHIPOTLE

225 ml de kétchup

$1/2$ cucharadita de salsa Worcestershire

$1/2$ cucharadita de azúcar moreno

1 cucharada de zumo (jugo) de limón recién exprimido, o al gusto

$1^1/2$ cucharaditas de chipotle molido, o al gusto

1 cucharadita de comino molido

$1/2$ cucharadita de cúrcuma molida

$1/4$ de cucharadita de jengibre molido

sal

MOSTAZA AL CHIPOTLE

$1/2$ taza de mostaza de Dijon

1 cucharadita de chipotle molido, o al gusto

1. Para preparar el kétchup, mezcle todos los ingredientes en un cazo, añada una pizca de sal y caliéntelo a fuego medio. Llévelo a ebullición y cuézalo, removiendo a menudo, 5 minutos o hasta que empiece a espesarse. Apártelo del calor y deje que se enfríe. Ponga el kétchup en un tarro esterilizado (véase la página 199), refrigérelo y consúmalo en el plazo de 2 semanas.

2. Para preparar la mostaza, mezcle todos los ingredientes en un cuenco. Páselo a un tarro esterilizado (véase la página 199), refrigérelo y consúmalo en el plazo de 2 semanas.

EL CHIPOTLE ES UN CHILE JA-
LAPEÑO AHUMADO SECO TÍPICO
DE LA COCINA MEXICANA QUE
CONFIERE UN CARACTERÍSTICO
SABOR A HUMO A LOS PLATOS.

SALSA TÁRTARA

PREP.: 10 min + refrigeración

COCCIÓN: ninguna

LA SALSA TÁRTARA ES EL CONDIMENTO IDEAL DE LAS HAMBURGUESAS DE PESCADO Y MARISCO, COMO LAS HAMBURGUESAS HAWAIANAS DE PESCADO (VÉASE LA PÁGINA 58).

PARA UNOS 225 ML

2 pepinillos

1 cebolleta (cebolla tierna)

1 cucharada de alcaparras

1 puñado de hojas de perejil

175 ml de mayonesa

1 cucharada de zumo (jugo) de limón

sal y pimienta

1. Pique bien los pepinillos, la cebolleta, las alcaparras y el perejil. Póngalos en un cuenco e incorpore la mayonesa.

2. Añada el zumo de limón y salpimiente. Tape la salsa y refrigérela al menos 30 minutos o 2 días como máximo antes de servirla.

PARA TRANSFORMAR ESTA SALSA
PARA PESCADO, AÑÁDALE HUEVO
DURO PICADO O ACEITUNAS,
O AMBAS COSAS A LA VEZ.

MERMELADA DE TOMATE Y CEBOLLA ROJA

PREP.: 15 min

COCCIÓN: 1 hora y 25 min - 1 hora y 40 min

PARA 4 PERSONAS

TOMATES ASADOS

8 tomates (jitomates) maduros

1-2 cucharadas de aceite de oliva virgen

sal y pimienta

SALSA

1 cucharada de aceite de oliva virgen

2 cebollas rojas grandes en rodajas finas

55 g de rúcula u hojas tiernas de espinaca

1. Para preparar los tomates, precaliente el horno a 150 ºC. Pártalos por la mitad, retíreles las semillas y dispóngalos en la bandeja del horno. Rocíelos con el aceite y salpiméntelos. Áselos en el horno de $1^{1}/_{4}$ a $1^{1}/_{2}$ horas, o hasta que estén hechos pero aún jugosos.

2. Para preparar la salsa, caliente el aceite en una sartén grande. Saltee la cebolla a fuego lento hasta que se ablande y se dore. Triture la mitad de los tomates asados en el robot de cocina o la batidora hasta obtener un puré. Incorpórelo a la cebolla salteada.

3. Trocee los tomates asados restantes y échelos en la sartén con la rúcula. Salpimiente y déjelo al fuego hasta que las hojas comiencen a ablandarse. Sírvalo enseguida.

PASO 1

PASO 2

PASO 3

SI CULTIVA SUS PROPIOS TOMA-
TES, ESTA RECETA LE IRÁ COMO
ANILLO AL DEDO. TANTO SI LOS
RECOLECTA EN SU HUERTO COMO
SI LOS COMPRA, ELÍJALOS BIEN
MADUROS.

GUACAMOLE

PREP.: 15 min + refrigeración

COCCIÓN: ninguna

PARA 4 PERSONAS

1 tomate (jitomate) maduro

2 limas (limones)

2-3 aguacates (paltas) pequeños o medianos, o 1-2 grandes, maduros

1/4-1/2 cebolla picada

1 buena pizca de comino molido

1 buena pizca de guindilla (ají picante) suave molida

1/2-1 guindilla (ají picante) verde fresca sin pepitas y picada

1 cucharada de cilantro picado, y unas hojas para adornar

1. Ponga el tomate en un bol refractario, escáldelo con agua hirviendo y déjelo 30 segundos en remojo. Escúrralo y sumérjalo en agua fría. Pélelo, pártalo por la mitad, retírele las pepitas y píquelo.

2. Exprima las limas en un cuenco. Parta un aguacate por la mitad a ras del hueso. Gire ambas mitades en direcciones opuestas y retire el hueso con un cuchillo afilado. Pélelo con cuidado, córtelo en dados y páselos por el zumo de lima para que no se ennegrezcan. Repita la operación con los aguacates restantes. Cháfelos con un tenedor.

3. Añada la cebolla, el tomate, el comino, los dos tipos de guindilla y el cilantro al aguacate y mézclelo bien. Tape el guacamole con film transparente, de modo que quede en contacto, para que no se ennegrezca y refrigérelo hasta que vaya a servirlo. Consúmalo en el plazo de 1 o 2 días.

PARA PREPARAR UN BUEN GUACAMOLE HAY QUE ELEGIR AGUACATES MADUROS DE BUENA CALIDAD. PARA OBTENER LA TEXTURA ADECUADA, CHÁFELOS EN LUGAR DE TRITURARLOS.

MAYONESA

PREP.: 5 min   COCCIÓN: ninguna

LA MAYONESA CASERA, UNA DE LAS SALSAS BÁSICAS DE LA COCINA FRANCESA, ES MÁS SUAVE QUE LA ENVASADA.

PARA UNOS 300 ML

las yemas de 2 huevos grandes

2 cucharaditas de mostaza de Dijon

3/4 de cucharadita de sal, o al gusto

2 cucharadas de zumo (jugo) de limón o vinagre de vino blanco, y un poco más si fuera necesario

unos 310 ml de aceite de girasol

pimienta blanca

1. Bata las yemas de huevo con la mostaza, la sal y pimienta blanca al gusto a mano o en el robot de cocina o la batidora. Añada el zumo de limón y bátalo de nuevo.

2. Sin dejar de batir a mano o con el motor en marcha, agregue el aceite gota a gota. Cuando la salsa empiece a espesarse puede verter el aceite en un hilo. Rectifique de sal, pimienta y zumo de limón. Si la salsa quedara demasiado espesa, añádale 1 cucharada de agua caliente o zumo de limón.

3. Consúmala enseguida o póngala en un tarro esterilizado (véase la página 199) y refrigérela 1 semana como máximo.

ANTES DE PREPARAR LA MAYONESA, SAQUE LOS HUEVOS DEL FRIGORÍFICO HASTA QUE ESTÉN A TEMPERATURA AMBIENTE. DE ESTA FORMA EVITARÁ QUE LA SALSA SE CORTE.

MAÍZ DULCE CON ESPECIAS

PREP.: 20 min + enfriamiento

COCCIÓN: 20 min

ESTA GUARNICIÓN TRANSFORMARÁ LAS HAMBURGUESAS MÁS SENCILLAS, EN ESPECIAL LAS HAMBURGUESAS DE GAMBAS AL CEBOLLINO (VÉASE LA PÁGINA 150).

PARA 950 G

3 mazorcas de maíz (elote)

1 pimiento (chile) rojo

1 guindilla (ají picante) verde fresca

125 ml de vinagre de manzana

100 g de azúcar moreno

1 cucharada de sal

1 cucharada de semillas de mostaza

½ cucharadita de semillas de apio

1 cebolla roja en dados

1. Desgrane las mazorcas de maíz. Cuartee el pimiento, parta la guindilla por la mitad y retíreles las pepitas a ambos.

2. Ponga el maíz, el pimiento, la guindilla, el vinagre, el azúcar, la sal, las semillas de mostaza y de apio en una cazuela a fuego medio-fuerte y llévelo a ebullición. Baje el fuego y cuézalo, removiendo de vez en cuando, unos 15 minutos o hasta que se reduzca un poco. El azúcar se disolverá, produciendo líquido suficiente para cubrir las hortalizas.

3. Incorpore la cebolla y aparte la cazuela del fuego. Déjelo enfriar, póngalo en un tarro esterilizado (véase la página 199), refrigérelo y consúmalo en el plazo de 1 mes.

PASO 1

PASO 2

SIRVE EL MAÍZ EN UN TARRO
A CONSERVAS QUEDARÁ MÁS
TOSO. SI DESEA ENVASAR-
SIGA LAS INDICACIONES DEL
BRICANTE DEL HERVIDOR DE
CONSERVAS.

ALIOLI AL ESTRAGÓN

PREP.: 10 min + refrigeración

COCCIÓN: ninguna

ESTA VARIACIÓN DEL ALIOLI LLEVA MOSTAZA Y ESTRAGÓN Y SE ALIÑA CON ZUMO DE LIMA Y DE LIMÓN.

PARA 4 PERSONAS

3 dientes grandes de ajo majados

2 yemas de huevo

225 ml de aceite de oliva virgen extra

1 cucharada de zumo (jugo) de limón

1 cucharada de zumo de lima (limón)

1 cucharada de mostaza de Dijon

1 cucharada de estragón picado

sal y pimienta

1 ramita de estragón, para adornar

1. Asegúrese de que todos los ingredientes estén a temperatura ambiente. Bata el ajo y las yemas de huevo en el robot de cocina o la batidora hasta que queden bien ligados. Con el motor en marcha, vierta el aceite a cucharaditas por el tubo de alimentación hasta que la mezcla empiece a espesarse. Llegado ese momento, vierta el aceite restante en un hilo hasta que se forme una mayonesa espesa.

2. Añada el zumo de limón y de lima, la mostaza y el estragón y salpimiente la salsa. Bátala hasta que adquiera una consistencia homogénea y pásela a un bol que no sea metálico. Adórnela con una ramita de estragón.

3. Tápela, refrigérela y consúmala en el plazo de 2 días.

EL AJO SE CONOCE COMO REMEDIO TRADICIONAL DEBIDO A QUE CONTIENE COMPUESTOS DE AZUFRE QUE DEPURAN, LIMPIAN Y REPARAN LAS CÉLULAS PARA MANTENERSE JOVEN.

PICADILLO PICANTE DE CARNE

PREP.: 20 min **COCCIÓN: 1 hora**

ESTA SALSA ESPESA Y DELICIOSA ACOMPAÑA LAS
HAMBURGUESAS PICANTES (VÉASE LA PÁGINA 36)
O PUEDE SERVIRSE SOLA.

PARA 700-850 ML

2 cucharadas de aceite de oliva

1 cebolla picada

1 pimiento (chile) rojo en dados

3 dientes de ajo majados

450 g de buey (vaca) recién picado

2 cucharadas de guindilla (ají picante) molida

1/2 cucharadita de cayena

400 g de tomate (jitomate) troceado en conserva

400 ml de agua

2 cucharadas de perejil picado

sal y pimienta

1. Caliente 1 cucharada del aceite a fuego medio en una cazuela de base gruesa. Saltee la cebolla, el pimiento y el ajo unos 5 minutos, removiendo, hasta que estén tiernos. Retire las hortalizas con una espátula y resérvelas. Eche el aceite restante en la cazuela.

2. Cuando esté caliente, añada el buey picado, la guindilla y la cayena y salpimiente. Mézclelo bien y saltee la carne unos 10 minutos, removiendo a menudo y deshaciendo los grumos con una cuchara de madera, hasta que se dore.

3. Agregue las hortalizas reservadas, el tomate con su jugo y el agua a la cazuela. Llévelo a ebullición, baje el fuego y cuézalo unos 45 minutos, removiendo de vez en cuando, hasta que la salsa se espese. Salpimiente e incorpore el perejil.

4. Sírvalo enseguida o déjelo enfriar, tápelo, refrigérelo y consúmalo en el plazo de 4 días.

PASO 1

PASO 2

PASO 3

SI LE GUSTA EL QUESO, ESPARZA UN POCO DE CHEDDAR RALLADO POR ENCIMA. ¡PARA CHUPARSE LOS DEDOS!

CEBOLLA ENCURTIDA

PREP.: 15 min + refrigeración

COCCIÓN: ninguna

ESTA CEBOLLA PICANTE, ESPECIADA Y DULCE NO NECESITA COCCIÓN Y SE PREPARA EN UN SANTIAMÉN. LLÉVELA A LA MESA CON LAS OTRAS GUARNICIONES.

PARA UNOS 450 ML

225 ml de vinagre blanco destilado

100 g de azúcar

1 cucharadita de chipotle molido, o al gusto

2 cebollas rojas medianas en aros

sal

1. Mezcle el vinagre con el azúcar, el chipotle y una pizca de sal en un bol mediano. Remueva para disolver el azúcar.

2. Ponga la cebolla en una bolsa con cierre hermético y rocíela con la marinada. Agítela para que se impregne bien. Retire la cebolla con la marinada de la bolsa, tápela y refrigérela 30 minutos, removiéndola un par de veces para humedecerla. Escúrrala antes de servirla. Pásela a un recipiente hermético, refrigérela y consúmala en el plazo de 2 días.

LA CEBOLLA ES UN ALIMENTO MUY SALUDABLE CUYOS COMPUESTOS DE AZUFRE SON ANTIBIÓTICOS NATURALES QUE PREVIENEN EL CÁNCER Y LAS CARDIOPATÍAS.

JALAPEÑOS ENCURTIDOS

PREP.: 15 min + enfriamiento

COCCIÓN: 15 min

ESTOS JALAPEÑOS SON UNA VERSIÓN SIMPLIFICADA DEL ESCABECHE, IDEALES PARA ENRIQUECER SUS HAMBURGUESAS.

PARA 950 G

450 g de jalapeños
1 cebolla
8 dientes de ajo
700 ml de vinagre de sidra o vinagre blanco destilado
2 cucharadas de sal
2 hojas de laurel
2 cucharaditas de azúcar

1. Quíteles el rabillo a los jalapeños y córtelos en rodajas gruesas.

2. Pele la cebolla y trocéela. Pele los dientes de ajo.

3. Lleve el vinagre, la sal, el laurel y el azúcar a ebullición en una olla. Añada los jalapeños, la cebolla y los ajos. Baje el fuego y cuézalo unos 5 minutos, hasta que los jalapeños estén tiernos.

4. Póngalos en tarros esterilizados (véase a la derecha), dejando unos 2,5 cm libres. Termine de llenar los tarros con el vinagre y déjelos enfriar a temperatura ambiente. Coloque un redondel de papel vegetal encima, tápelos herméticamente, refrigérelos y consúmalos en el plazo de 2 meses.

PARA ESTERILIZAR LOS TARROS Y LAS TAPAS,
ÁVELOS CON AGUA Y JABÓN, ENJUÁGUELOS
EN, PÓNGALOS EN UNA REJILLA Y SUMÉRJALOS
UN HERVIDOR. LLÉNELOS CON AGUA CALIENTE
STA CUBRIRLOS UNOS 5 CM POR ENCIMA, LLÉVE-
LOS A EBULLICIÓN Y HIÉRVALOS 10 MINUTOS
EN ALTITUDES SUPERIORES A LOS 300 METROS).
DÉJELOS REPOSAR EN EL AGUA HASTA QUE
VAYA A UTILIZARLOS.

PANECILLOS PARA HAMBURGUESA

PREP.: 20 min + reposo

COCCIÓN: 15-20 min

PARA 8 UNIDADES

450 g de harina, y un poco más para espolvorear

1½ cucharaditas de sal

2 cucharaditas de azúcar

1 cucharadita de levadura seca de panadería

150 ml de agua templada

150 ml de leche templada

aceite vegetal, para pintar

2-3 cucharadas de semillas de sésamo

1. Tamice la harina y la sal en un bol e incorpore el azúcar y la levadura. Haga un hoyo en el centro y vierta el agua y la leche. Remueva con una cuchara de madera hasta que la masa comience a ligarse y trabájela con las manos hasta que se desprenda del bol. Vuélquela sobre la encimera espolvoreada con harina y amásela unos 10 minutos, hasta que quede fina y elástica.

2. Pinte un bol con aceite. Forme una bola con la masa, póngala en el bol y métalo en una bolsa de plástico o tápelo con un paño húmedo. Deje leudar la masa en un lugar cálido 1 hora, hasta que doble su volumen.

3. Pinte dos bandejas de horno con aceite. Vuelque la masa sobre la encimera espolvoreada con harina y golpéela con los nudillos. Divídala en 8 porciones, deles forma de bola y póngalas en las bandejas. Aplánelas un poco con la mano enharinada y meta las bandejas en bolsas de plástico o tápelas con paños húmedos. Déjelas leudar en un lugar cálido 30 minutos.

4. Precaliente el horno a 200 °C. Presione un poco la parte central de los panecillos con los dedos para dejar escapar las burbujas de aire. Píntelos con el aceite y espolvoréelos con las semillas de sésamo. Cuézalos en el horno de 15 a 20 minutos, hasta que empiecen a dorarse. Déjelos enfriar en unas rejillas metálicas.

CEBOLLA CARAMELIZADA

PREP.: 5 min   **COCCIÓN: 25 min**

LA CEBOLLA, REHOGADA A FUEGO LENTO HASTA QUE SE DORA Y CON UN PUNTO DULCE, ES LA GUARNICIÓN IDEAL PARA TODO TIPO DE HAMBURGUESAS.

PARA 4–6 PERSONAS

1-2 cucharadas de aceite de oliva

$1/2$ cebolla roja en rodajas

$1/2$ cucharadita de romero, tomillo u orégano frescos picados (opcional)

$1/2$ cucharadita de vinagre de vino tinto

sal y pimienta

1. Caliente aceite suficiente para cubrir la base de una sartén grande a fuego medio hasta que esté reluciente. Eche la cebolla y fríala 3 minutos, hasta que se dore. Si lo desea, añada las hierbas. Fría la cebolla, removiendo de vez en cuando, unos 12 minutos más, hasta que se dore bien.

2. Salpiméntela. Vierta el vinagre y prosiga con la cocción de 8 a 10 minutos más, hasta que la cebolla esté bien tierna.

3. Sírvala enseguida o déjela enfriar, póngala en un recipiente hermético, refrigérela y consúmala en el plazo de 3 días.

PASO 2

PASO 1

La cebolla caramelizada tiene un sabor fuerte pero dulce. Requiere poca atención y es fácil de preparar, por lo que es el condimento perfecto.

AROS DE CEBOLLA

PREP.: 15 min   **COCCIÓN: 15 min**

PARA 4-6 PERSONAS

115 g de harina
1 pizca de sal
1 huevo
150 ml de leche desnatada (descremada)
4 cebollas grandes
aceite vegetal, para freír
guindilla (ají picante) molida, al gusto (opcional)
sal y pimienta
hojas de lechuga, para acompañar

1. Para preparar la pasta para rebozar, tamice la harina y la sal en un bol grande y haga un hueco en el centro. Casque el huevo en el centro y bátalo con suavidad con unas varillas. Incorpore la leche poco a poco, llevando la harina hacia el centro del bol hasta obtener una pasta homogénea.

2. Dejando las cebollas enteras, córtelas a lo ancho en rodajas de 5 mm de grosor y sepárelas en aros.

3. Caliente el aceite en la freidora o en una sartén de base gruesa a 180 o 190 °C, o hasta que al echar un dado de pan se dore en 30 segundos.

4. Con las púas de un tenedor, recoja varios aros de cebolla a la vez y rebócelos con la pasta. Deje caer la que no se haya adherido de nuevo en el bol y fría la cebolla en el aceite un par de minutos, hasta que flote y esté crujiente y dorada. Retírela de la sartén, déjela escurrir sobre papel de cocina y resérvela caliente mientras fríe la restante. Procure no freír demasiados aros de cebolla a la vez, porque sino disminuiría la temperatura del aceite, absorberían el aceite y quedarían blandos y aceitosos en lugar de crujientes.

5. Sazone los aros de cebolla con guindilla molida, si lo desea, sal y pimienta. Sírvalos enseguida sobre un lecho de hojas de lechuga.

Hay un sinfín de remedios populares para evitar lagrimear cuando se corta cebolla, como dejar la raíz intacta hasta el final, pelarla bajo el chorro de agua fría, refrigerarla con anterioridad e incluso silbar mientras se corta.

PATATAS FRITAS

PREP.: 10 min + remojo

COCCIÓN: 25-35 min

PARA 4 PERSONAS

3 patatas (papas) rojas grandes

aceite vegetal, para freír

sal y pimienta

1. Pele las patatas y córtelas en bastoncillos de 8 mm de grosor. Cuando estén listas, póngalas en un bol grande con agua fría para que no se ennegrezcan y déjelas 30 minutos en remojo para que pierdan el almidón.

2. Escurra las patatas y séquelas bien con un paño de cocina. Caliente el aceite en la freidora o una sartén grande de base gruesa a 190°C. Si no dispone de termómetro, eche una patata en la freidora. Si se hundiera significa que el aceite no está lo bastante caliente y, si flotara y el aceite burbujeara alrededor, que está listo. Con cuidado, eche una pequeña cantidad de patatas en el aceite (de esta forma se harán de modo uniforme y la temperatura se mantendrá estable) y fríalas 5 o 6 minutos, hasta que se ablanden pero no se doren. Retírelas con una espumadera y déjelas escurrir sobre papel de cocina. Déjelas enfriar al menos 5 minutos. Fría las patatas restantes del mismo modo, dejando que el aceite recupere la temperatura adecuada cada vez.

3. Cuando vaya a servir las patatas fritas, caliente el aceite a 200 °C. Fría las patatas, por tandas, 2 o 3 minutos, hasta que se doren bien. Sáquelas y déjelas escurrir sobre papel de cocina. Salpiméntelas y sírvalas enseguida.

DESDE LAS MÁS SENCILLAS HASTA LAS MÁS SOFISTICADAS, LAS HAMBURGUESAS NO SERÍAN LO MISMO SIN UNAS PATATAS FRITAS, YA SEAN CORTADAS EN TROZOS GRANDES O EN BASTONCILLOS.

ENSALADA DE PATATA

PREP.: 30 min + refrigeración

COCCIÓN: 30 min

REFRESCANTE Y CREMOSA, ESTA ENSALADA NO DEBE FALTAR EN UNA BUENA BARBACOA.

PARA 8 PERSONAS

1,25 kg de patatas (papas) nuevas

125 ml de mayonesa

50 ml de nata (crema) agria

90 ml de vinagre de vino blanco

1 cucharadita de mostaza a la antigua

1/2 cucharadita de eneldo seco

1/2 cebolla roja picada

1 rama de apio picada

1/4 de taza de pepinillos picados

40 g de pimiento (chile) rojo asado picado

2 huevos duros picados (opcional)

sal y pimienta

1. Ponga las patatas, sin pelar, en una cazuela mediana y cúbralas con un poco de agua. Añada una pizca de sal y llévelo a ebullición a fuego fuerte. Baje el fuego y cueza las patatas de 20 a 30 minutos, hasta que al pincharlas con un tenedor estén tiernas.

2. Ponga la mayonesa, la nata, el vinagre, la mostaza y el eneldo en un bol, salpimiente y mézclelo bien.

3. Escurra las patatas, déjelas enfriar un poco y pélelas con los dedos o un cuchillo de mondar. Córtelas en trozos de 1 cm y añádalas al aliño antes de que se enfríen. Incorpore la cebolla, el apio, el pepinillo, el pimiento y, si lo desea, el huevo duro. Tape la ensalada y refrigérela al menos 2 horas o, mejor, toda la noche. Consúmala en el plazo de un par de días.

209

ENSALADA DE MACARRONES

PREP.: 30 min, + refrigeración

COCCIÓN: 10 min

ESTA ENSALADA ES UNA BUENA OPCIÓN PARA LAS COMIDAS AL AIRE LIBRE Y UNA MAGNÍFICA GUARNICIÓN PARA LAS HAMBURGUESAS.

PARA 6-8 PERSONAS

- 225 g de macarrones
- 50 ml de mayonesa, y un poco más si fuera necesario
- 50 ml de yogur
- 1 cucharada de zumo (jugo) de limón recién exprimido
- 1/2 cucharadita de sal de ajo
- 1/4 de cucharadita de pimienta
- 1 rama de apio en dados
- 3 cebolletas (cebollas tiernas) picadas
- 40 g de aceitunas negras picadas
- 1/2 tomate (jitomate) picado
- 2 cucharadas de perejil picado
- sal y pimienta

1. Lleve a ebullición agua con un poco de sal en una cazuela, eche los macarrones y cuézalos según las indicaciones del envase. Escúrralos.

2. Mientras tanto, mezcle la mayonesa con el yogur, el zumo de limón, la sal de ajo y la pimienta en un bol grande. Incorpore los macarrones calientes y, después, el apio, la cebolleta, las aceitunas, el tomate y el perejil. Salpimiente y, si la ensalada quedara algo seca, añada un poco más de mayonesa. Déjela enfriar del todo.

3. Tape la ensalada con film transparente y refrigérela al menos 2 horas. Sírvala fría. Consúmala en el plazo de 3 días.

EXISTEN UN SINFÍN DE VARIACIONES DE ESTA RECETA EN TODO EL MUNDO. DIFIEREN EN EL TIPO DE INGREDIENTES E INCLUSO EN LA TEMPERATURA A LA HORA DE SERVIRLA.

LIMONADA

PREP.: *15 min + reposo*   **COCCIÓN:** *ninguna*

EN LOS DÍAS DE VERANO NO HAY NADA MÁS REFRESCANTE QUE UN BUEN VASO DE LIMONADA CASERA. ADEMÁS DE DELICIOSA, ES TOTALMENTE NATURAL.

PARA 6 PERSONAS

4 limones grandes, preferentemente de cultivo ecológico
175 g de azúcar
850 ml de agua hirviendo
cubitos de hielo

1. Raspe bien los limones y séquelos. Pele finamente 3 limones con un pelapatas. Ponga la piel en un bol refractario, añada el azúcar y el agua hirviendo y remueva bien hasta que el azúcar se disuelva. Tápelo y déjelo reposar al menos 3 horas, removiendo de vez en cuando. Mientras tanto, exprima los 3 limones pelados y reserve el zumo.

2. Retire y deseche la piel de limón de la limonada y añada al zumo reservado. Corte el limón restante en rodajas finas y estas, a su vez, por la mitad. Añádalas a la limonada con unos cubitos de hielo. Remuévala y sírvala enseguida.

SUSTITUYA LOS LIMONES POR NARANJAS, LIMAS O UNA COMBINACIÓN DE LOS TRES CÍTRICOS Y OBTENDRÁ SABORES IGUAL DE REFRESCANTES.

TÉ FRÍO CON CÍTRICOS

PREP.: 10 min + enfriamiento

COCCIÓN: menos de 5 minutos

ESTE REFRESCO AFRUTADO GUSTARÁ INCLUSO A LAS PERSONAS QUE NO SUELEN TOMAR TÉ. ADEMÁS, SI SOBRA PUEDE GUARDARLO EN EL FRIGORÍCO.

PARA 2 PERSONAS

300 ml de agua
2 bolsitas de té
100 ml de zumo (jugo) de naranja
4 cucharadas de zumo de lima (limón)
1-2 cucharadas de azúcar moreno
cubitos de hielo

PARA ADORNAR

1 gajo de lima (limón)
azúcar
rodajas de naranja o lima (limón)

1. Lleve el agua a ebullición en un cazo. Cuando rompa el hervor, apártelo del fuego, añada las bolsitas de té y déjelas reposar 5 minutos. Retire las bolsitas y deje enfriar el té a temperatura ambiente. Páselo a una jarra, tápelo con film transparente y refrigérelo al menos 45 minutos.

2. Cuando el té esté frío, incorpórele el zumo de naranja y el de lima. Añada azúcar al gusto.

3. Frote el borde de 2 vasos con el gajo de lima y escárchelos con el azúcar. Eche los cubitos de hielo en los vasos y vierta el té. Adórnelo con las rodajas de naranja o lima y sírvalo enseguida.

LAS BEBIDAS NO PUEDEN FALTAR EN LAS FIESTAS DE VERANO, DESDE AGUA Y REFRESCOS, HASTA CERVEZA Y CÓCTELES. REPARTA UNAS CUBITERAS EN PUNTOS ESTRATÉGICOS PARA QUE LOS INVITADOS SE SIRVAN.

MOJITO

PREP.: 5 min   COCCIÓN: ninguna

ESTE CÓCTEL CUBANO HACE AÑOS QUE SE CONOCE EN TODO EL MUNDO. IMPRESIONE A SUS INVITADOS CON ESTA BEBIDA DELICIOSA, REVITALIZANTE Y REFRESCANTE.

PARA 1 PERSONA

1 cucharadita de jarabe de goma
unas hojas de menta
el zumo (jugo) de ½ lima (limón)
cubitos de hielo
2 medidas de ron jamaicano
soda
1 golpe de angostura

1. Ponga el jarabe de goma, la menta y el zumo de lima en un vaso y machaque las hojas de menta.

2. Añada unos cubitos de hielo y el ron y termine de llenar el vaso con soda. Para acabar, échele un chorrito de angostura. Sírvalo enseguida.

EL RON NEGRO TIENE UN SABOR INTENSO QUE EVOCA LAS VACACIONES EN LA PLAYA.

MARGARITA

PREP.: 5 minutos   COCCIÓN: ninguna

ESTE CÓCTEL, INVENTADO EN *1942* EN MÉXICO, ES UNA VERSIÓN MÁS SOSTICADA DE LA FORMA ORIGINAL DE TOMAR TEQUILA: LAMER UN POCO DE SAL DEL DORSO DE LA MANO, BEBER UN CHUPITO DE TEQUILA Y CHUPAR UN TROZO DE LIMA.

PARA 1 PERSONA

2 gajos de lima (limón)
sal gruesa
3 medidas de tequila claro
1 medida de triple seco o Cointreau
2 medidas de zumo (jugo) de lima (limón)
hielo picado

1. Frote el borde de una copa de cóctel bien fría con un gajo de lima y escárchelo con sal gruesa.

2. En la coctelera con hielo picado, agite el tequila, el triple seco y el zumo de lima hasta que estén bien fríos.

3. Cuélelo sobre la copa escarchada y adórnelo con el gajo de lima restante. Sírvalo enseguida.

ESTE CÓCTEL REFRESCANTE
OFRECE UNA COMBINACIÓN TRA-
DICIONAL DE INGREDIENTES QUE
LO CONVIERTEN EN UNO DE LOS
FAVORITOS EN TODO EL MUNDO.